北京市科委科普
专 项 资 助

"十二五"国家重点
出版物出版规划项目

《科学美国人》精选系列
专栏作家文集

U0229006

《环球科学》杂志社
外研社科学出版工作室　编

大象如何站在铅笔上

超乎想象的科学解读

精选自
畅销全球
近170年
《科学美国人》

外语教学与研究出版社
FOREIGN LANGUAGE TEACHING AND RESEARCH PRESS
北京 BEIJING

图书在版编目（CIP）数据

大象如何站在铅笔上 /《环球科学》杂志社，外研社科学出版工作室编. ——
北京：外语教学与研究出版社，2014.5（2018.6 重印）
（《科学美国人》精选系列. 专栏作家文集）
ISBN 978-7-5135-4425-2

Ⅰ. ①大… Ⅱ. ①环… ②外… Ⅲ. ①科学知识－普及读物 Ⅳ. ①Z228

中国版本图书馆 CIP 数据核字（2014）第 086889 号

出 版 人　蔡剑峰
责任编辑　蔡　迪
封面设计　覃一彪
版式设计　平　原　曹　毅
出版发行　外语教学与研究出版社
社　　址　北京市西三环北路 19 号（100089）
网　　址　http://www.fltrp.com
印　　刷　北京华联印刷有限公司
开　　本　730×980　1/16
印　　张　14.5
版　　次　2014 年 6 月第 1 版 2018 年 6 月第 7 次印刷
书　　号　ISBN 978-7-5135-4425-2
定　　价　39.80 元

购书咨询：（010）88819926　电子邮箱：club@fltrp.com
外研书店：https://waiyants.tmall.com
凡印刷、装订质量问题，请联系我社印制部
联系电话：（010）61207896　电子邮箱：zhijian@fltrp.com
凡侵权、盗版书籍线索，请联系我社法律事务部
举报电话：（010）88817519　电子邮箱：banquan@fltrp.com
法律顾问：立方律师事务所　刘旭东律师
　　　　　中咨律师事务所　殷　斌律师
物料号：244250001

《科学美国人》精选系列
专栏作家文集

丛书顾问

陈宗周

丛书主编

刘　芳　　章思英

褚　波　　刘晓楠

丛书编委（按姓氏笔画排序）

王帅帅　　刘　明　　何　铭

罗　绮　　蔡　迪　　廖红艳

科学文化传播的新起点

李大光

中国科学院大学教授

"《科学美国人》精选系列·专栏作家文集"由外语教学与研究出版社(以下简称外研社)编辑出版。它的出版对中国推广现代科学知识和科学思维方式具有重要意义。对于工作繁忙、学习紧张,没有时间阅读每期《环球科学》(《科学美国人》中文版)的人来说,购买这套书,在业余时间阅读,基本就可以了解这一世界著名科学杂志的精彩内容。

《科学美国人》是世界上历史最悠久、最著名的大众科学刊物之一。该刊物于 1845 年由画家、企业家和出版商鲁弗斯·波特(Rufus M. Porter,1792~1884)创办。在过去将近 170 年的时间里,《科学美国人》由 1845 年的发布美国专利局(现为美国专利商标局)新闻的 4 页周报,发展成内容广泛的关于科学知识和科学文化的著名刊物,销量占据全球大众科学杂志的半壁江山。

任何作品和出版物都与其产生的历史背景有密切关系。《科学美国人》产生于欧洲工业革命时期,那时也是欧洲工业革命和科学技术发现对美国产生重大影响的时期。欧洲的工业化和科学技术发明不仅仅传播到北美大陆,同时也引发了美国 19 世纪中叶到 20 世纪初的科学发明高潮。在美国实用主义哲学思想和美国首部专利法案通过并颁布的影响下,爱迪生等发明家不仅带动了美国科学技术的发展,同时也奠定了美国经济发展的基础,与此同时,还产生了美国的探险文化和对客观事实的好奇文化。在这个背景下,美国文化形成了偏重于科学文化的模式。诞生于此时的《科学美国人》具有鲜明的科学与工业色彩,饱含无穷的探索和想象空间,同时还有对科学价值和科学文化的深刻反思。该刊的理念和内容吸引了众多科学家和技术发明家,很多知名科学家，包括爱因斯坦等，都曾给该刊投稿。除科学家之外，还有很多科学哲学家和科学人文学者在此发表关于科学与宗教、科学与伦理以及科学与社会之间关系的思考文章。

《科学美国人》进入中国已经有几十年了。虽然其中文版《环球科学》是按月出版的，但由于其中的内容非常前沿，即便时隔数月甚至数年之后来看，不少文章仍然可以带给我们不一样的启迪，让我们看到科学发展的历程。因此，精选这个著名杂志中适合中国人文化欣赏习惯和兴趣的文章，单独出一套精选系列，就具有了特殊的意义和价值。

"精选"自然有精选的方式和眼光。本系列精选的范围不仅仅是原版的《科学美国人》中的专栏文章，还包括中国科学家在《环球科学》上撰写的精彩文章。经过专业编辑们的谨慎遴选，这套丛书可谓是精品中的精品了。

本系列分为四册，分别是：

1. 《大象如何站在铅笔上》——超乎想象的科学解读；

2. 《外星人长得像人吗》——怀疑论对科学的揭秘；

3. 《哀伤是一种精神病》——走出健康误区；

4. 《对苹果设计说不》——科学达人的技术笔记。

其中，关于外星人的传说的文章对中国人的思维方式具有启发意义。作者迈克尔·舍默（Michael Shermer）是科学史博士，在关于伪科学的论述方面是比较著名的学者。他关于伪科学的定义和科学的定义在美国国家科学基金会（National Science Foundation）每两年发布一次的《科学与工程学指标》（*Science and Engineering Indicators*）中被多次引用，并成为科学方法定义的理论基础。他创办的《怀疑论者》（*Skeptic*）在科学文化领域具有重要影响。同时，他

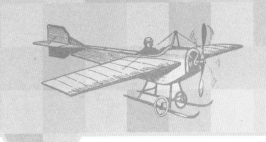

还成立了"怀疑论者协会"（The Skeptics Society），经常组织科学文化的研讨会。2002 年，舍默的书《人为什么相信怪异的东西：伪科学、迷信与我们这个时代的迷惘》（*Why People Believe Weird Things: Pseudoscience, Superstition, and Other Confusions of Our Time*）在中国出版，获得好评。他的书对于识别各种所谓的"大师"和伪科学现象、培养国人的批判性思维具有重要意义。

除了科学的思维以外，在科学知识的表达方式上，中外也有很大区别。西方科学知识体系以美国为代表，其表述的基本特征是：

1. 全球视野，关注的是世界范围内的重大事件以及产生的影响；

2. 对科学技术知识的表述一般从使用者最有可能产生错误认识或者体验的角度展开讲解；

3. 描述的角度极其新鲜，往往是读者难以想象的，因而起到的启发效果奇好；

4. 视野超前，即往往针对某个科学领域最先进的研究成果进行讲解。而且跟踪的多数是最好的研究机构或者科学家的研究成果，甚至是诺贝尔奖获得者的研究成果。这也是在过去的将近 170 年间，有 100 多位诺贝尔奖得主为其撰稿和该刊物持续畅销的原因之一。

《科学美国人》不仅仅是科学家和技术人员关注世界科学技术前沿动态的重要刊物，也是科学记者或科学作家了解美国和欧洲科学的优秀读物。由外研社出版的"《科学美国人》精选系列"集合了该杂志里最好的作品，通过精选、编辑、再创作呈现给读者。该系列既是大众科学文化创作领域的教科书，也是供中国科学家和技术人员在撰写大众科普文章时参考的极具价值的优秀作品。

　　外研社是中国引进外国先进文化的重镇，也是中外文化交流的研究机构。外研社将科学文化作品作为出版重点，说明中国文化正在向先进的前沿领域挺进，也说明世界正在向科学技术文化领域迈进。在科学文化领域中，中国应该认真学习西方的先进经验，逐步形成用理性思维方式看待身边世界和各种现象的潮流，这是民族文化得以进步的力量源泉之一。一个民族在世界上的地位不仅仅靠经济指数，也不仅仅靠军事力量，只有同时具备科学文明的民族才会赢得世界的尊重。从这个角度讲，我希望这套书能成为外研社在科学文化传播中的新起点。

科学奇迹的见证者

陈宗周

《环球科学》杂志社社长

1845 年 8 月 28 日，一张名为《科学美国人》的科普小报在美国纽约诞生了。创刊之时，创办者鲁弗斯·波特（Rufus M. Porter）就曾豪迈地放言：当其他时政报和大众报被人遗忘时，我们的刊物仍将保持它的优点与价值。

他说对了，当同时或之后创办的大多数美国报刊都消失得无影无踪时，近 170 岁的《科学美国人》依然青春常驻、风采迷人。

如今，《科学美国人》早已由最初的科普小报变成了印刷精美、内容丰富的月刊，成为全球科普杂志的标杆。到目前为止，它的作者，包括了爱因斯坦、玻尔等 151 位诺贝尔奖得主——他们中的大多数是在成为《科学美国人》的作者之后，再摘取了那顶桂冠。它的无数读者，从爱迪生到比尔·盖茨，都在《科学美国人》这里获得知识与灵感。

从创刊到今天的一个多世纪里，《科学美国人》一直是世界前沿科学的记录者，是一个个科学奇迹的见证者。1877 年，爱迪生发明了留声机，当他带着那个人类历史上从未有过的机器怪物在纽约宣传时，他的第一站便选择了《科学美国人》编辑部。爱迪生径直走进编辑部，把机器放在一张办公桌上，然后留声机开始说话了："编辑先生们，你们伏案工作很辛苦，爱迪生先生托我向你们问好！"正在工作的编辑们惊讶得目瞪口呆，手中的笔停在空中，久久不能落下。这一幕，被《科学美国人》记录下来。1877 年 12 月，《科学美国人》刊文，详细介绍了爱迪生的这一伟大发明，留声机从此载入史册。

留声机，不过是《科学美国人》见证的无数科学奇迹和科学发现中的一个例子。

可以简要看看《科学美国人》报道的历史：达尔文发表《物种起源》，《科学美国人》马上跟进，进行了深度报道；莱特兄弟在《科学美国人》编辑的激励下，揭示了他们飞行器的细节，刊物还发表评论并给莱特兄弟颁发银质奖杯，作为对他们飞行距离不断进步的奖励；当"太空时代"开启，《科学美国人》立即浓墨重彩地报道，把人类太空探索的新成果、新思维传播给大众。

今天，科学技术的发展更加迅猛，《科学美国人》的报道因此更加精彩纷呈。新能源汽车、私人航天飞行、光伏发电、干细胞医疗、DNA 计算机、家用机器人、"上帝粒子"、量子通信……《科学美国人》始终把读者带领到科学最前沿，一起见证科学奇迹。

《科学美国人》也将追求科学严谨与科学通俗相结合的传统保持至今并与时俱进。于是，在今天的互联网时代，《科学美国人》及其网站当之无愧地成为报道世界前沿科学、普及科学知识的最权威科普媒体。

科学是无国界的，《科学美国人》也很快传向了全世界。今天，包括中文版在内，《科学美国人》在全球用 15 种语言出版国际版本。

《科学美国人》在中国的故事同样传奇。这本科普杂志与中国结缘，是杨振宁先生牵线，并得到了党和国家领导人的热心支持。1972 年 7 月 1 日，在周恩来总理于人民大会堂新疆厅举行的宴请中，杨先生向周总理提出了建议：中国要加强科普工作，《科学美国人》这样的优秀科普刊物，值得引进和翻译。由于中国当时正处于"文革"时期，杨先生的建议 6 年后才得到落实。1978 年，在"全国科学大会"召开前夕，《科学美国人》杂志中文版开始试刊。1979 年，《科学美国人》中文版正式出版。《科学美国人》引入中国，还得到了时任副总理的邓小平以及时任国家科委主任的方毅（后担任副总理）的支持。一本科普刊物在中国受到如此高度的关注，体现了国家对科普工作的重视，同时，也反映出刊物本身的科学魅力。

如今，《科学美国人》在中国的传奇故事仍在续写。作为《科学美国人》在中国的版权合作方，《环球科学》杂志在新时期下，充分利用互联网时代全新的通信、翻译与编辑手段，让《科学美国人》的中文内容更贴近今天读者的需求，更广泛地接触到普通大众，迅速成为了中国影响力最大的科普期刊之一。

　　《科学美国人》的特色与风格十分鲜明。它刊出的文章，大多由工作在科学最前沿的科学家撰写，他们在写作过程中会与具有科学敏感性和科普传播经验的科学编辑进行反复讨论。科学家与科学编辑之间充分交流，有时还有科学作家与科学记者加入写作团队，这样的科普创作过程，保证了文章能够真实、准确地报道科学前沿，同时也让读者大众阅读时兴趣盎然，激发起他们对科学的关注与热爱。这种追求科学前沿性、严谨性与科学通俗性、普及性相结合的办刊特色，使《科学美国人》在科学家和大众中都赢得了巨大声誉。

　　《科学美国人》的风格也很引人注目。以英文版语言风格为例，所刊文章语言规范、严谨，但又生动、活泼，甚至不乏幽默，并且反映了当代英语的发展与变化。由于《科学美国人》反映了最新的科学知识，又反映了规范、新鲜的英语，因而它的内容常常被美国针对外国留学生的英语水平考试选作试题，近年有时也出现在中国全国性的英语考试试题中。

　　《环球科学》创刊后，很注意保持《科学美国人》的特色与风格，并根据中国读者的需求有所创新，同样受到了广泛欢迎，有些内容还被选入国家考试的试题。

　　为了让更多中国读者了解世界科学的最新进展与成就、开阔科学视野、提升科学素养与创新能力，《环球科学》杂志社和外语教学与研究出版社展开合作，编辑出版能反映科学前沿动态和最新科学思维、科学方法与科学理念的"《科学美国人》精选系列"丛书，包括"科学最前沿"（已上市）、"专栏作家文集"、"诺奖得主文集"、"经典回眸"和"科学问答"等子系列。

丛书内容精选自近几年《环球科学》刊载的文章，按主题划分，结集出版。这些主题汇总起来，构成了今天世界科学的全貌。

丛书的特色与风格也正如《环球科学》和《科学美国人》一样，中国读者不仅能从中了解科学前沿和最新的科学理念，还能受到科学大师的思想启迪与精神感染，并了解世界最顶尖的科学记者与撰稿人如何报道科学进展与事件。

在我们努力建设创新型国家的今天，编辑出版"《科学美国人》精选系列"丛书，无疑具有很重要的意义。展望未来，我们希望，在《环球科学》以及这些丛书的读者中，能出现像爱因斯坦那样的科学家、爱迪生那样的发明家、比尔·盖茨那样的科技企业家。我们相信，我们的读者会创造出无数的科学奇迹。

未来中国，一切皆有可能。

Contents

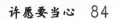

分 蛋糕的学问

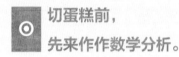

切蛋糕前，
先来作作数学分析。

在梅尔·布鲁克斯（Mel Brooks）的电影《制片人》（*The Producers*）[1] 中，马克斯·比亚里斯托克（Max Bialystock）和利奥·布卢姆（Leo Bloom）炮制了百老汇音乐剧《希特勒的春天》（*Springtime for Hitler*），并合谋套取 25,000% 的利润。（"安然事件"[2] 是这部片子的现实版。）在剧中，两位主角曾有过片刻的反省，一方问道："一部音乐剧杂七杂八加在一起，可以卖掉百分之多少？"另一方轻轻地回答："任何东西，你只能卖出它的百分之百。"直到后来，我终于领悟了这种说法。

---

1. 《制片人》，拍摄于 1968 年的经典荒诞喜剧片。故事讲述的是一位落魄的原百老汇制片人跟一个"高级经济师"联手，吸引风险投资家出钱排演《希特勒的春天》，再阴谋搞砸这部剧，好让投资全都落入他们个人的腰包。未曾想，那部"大话希特勒"版的闹剧大受欢迎，他们的计划也因此暴露，两个人被双双送上法庭。2005 年，美国好莱坞曾翻拍此片。

2. 安然公司曾经是叱咤风云的"能源帝国"，2000 年总销售收入高达 1,000 亿美元，名列《财富》（*Fortune*）"美国 500 强"的第 7 位。2001 年 10 月，安然公司第三季度财务报表公布，公司亏损 6.18 亿美元，随后该公司的财务造假被揭露出来。两个月后，安然公司申请破产保护，成为美国历史上最大的破产企业。

一个数学家、一个政治学家和一个经济学家共聚在酒吧。等等，不对，应该是一个数学家、一个政治学家和一个经济学家合写了一篇论文。别吃惊，这是真的。他们指出，在特定情况下，两个人在分完某样东西以后，都会觉得自己得到的那份比较多。当然，这可不是魔术师用镜子和烟雾制造出来的幻象。

这篇论文刊登在《美国数学学会通报》(*Notices of the American Mathematical Society*) 2006年12月刊上，标题是《切蛋糕的更好方法》(*Better Ways to Cut a Cake*)。它论及的绝不是研习磨刀技术。实际上它真正论及的是，在分割物品时，最大限度地满足各方需求的理论与方法——对于一场生日聚会而言，各方就是分享蛋糕的那些人。"我们用蛋糕来比喻各类可以分割的物品，不同的人对它有着不同的偏好。"美国蒙特克莱州立大学(Montclair State University)的数学家迈克尔·琼斯(Michael Jones)这样解释道。这块蛋糕是一种象征，它可以是一块既有树林又有海滩的土地，也可以是一套公寓——小房间可以观景，而大房间则没有窗户，还可以是一只鸡——既有鸡胸肉，又有鸡腿肉。

不过，这块蛋糕却无法代表馅饼(pie)。事实上，对于蛋糕切分理论，数学家有着悠久的研究历史（虽然仍显不足和陈腐），这种理论研究如何一刀划分整个空间。有一篇关于馅饼切分理论的文献写道，馅饼的切法是从中心开始下刀，然后呈放射状地往外切。所以，完全切开一块馅饼需要两刀。不过，琼斯指出，从数学的角度上说，"你可以把蛋糕看作一块已经切了一刀的馅饼"。听上去，这像是隐居在山顶的智者会对贝蒂·克罗克(Betty Crocker)[3]说的话。

---

3. 贝蒂·克罗克，上世纪20年代美国一家食品公司创造出来的虚拟人物，最初是为了回答顾客提出的各种有关烘焙食品的问题。后来，贝蒂·克罗克出现在广播中，开办了美国第一个烹饪类节目，并迅速走红，成为美国家喻户晓的食品烹饪专家。现在，这个名字还成了食品和厨具的品牌——贝蒂妙厨。

不管怎样，还是回到费伯学院[4]的返校日聚会上来。现在的任务就是要切蛋糕。如果两个人用传统的手段切分蛋糕，那么方法相当简单，而且历史比玛丽·安托瓦内特（Marie Antoinette）[5]提议民众吃蛋糕的年代还要久远。这个方法就是：一人切，另一人选。如此一来，切蛋糕的人会力求切分均匀，因为他知道，如果稍有不公，自己必定会得到较小的那块。

但是这种切分方式对某些蛋糕来说就行不通了。琼斯说道："举例来说，如果一个蛋糕一半是巧克力口味，一半是香草口味，而一方更喜欢巧克力口味，另一方却没有偏好，那么就存在某种切法，可以令他们在感觉上都得到了大半个蛋糕。"欢迎你在家中一边喝咖啡、品尝丹麦甜点，一边好好温习一下切分过程涉及的公式。尤其是当两个以上的人分享蛋糕时，这个过程会变得相当复杂。但是，在两个人分享巧克力香草蛋糕的例子中，你就能明白这个道理：如果喜欢巧克力口味的人得到了巧克力部分的80%（尽管只占了整块蛋糕的40%），他就会感觉占了便宜。而他那位没有偏好的伙伴，在得到剩下60%的蛋糕时，自然也会心满意足。可见，蛋糕制作商把蛋糕做得越来越复杂，把价格标得越来越高，其实是有经济动因的。

这个蛋糕切分理论可以应用于诸多场合，例如土地分割谈判等。它也间接地阐明了安然公司图谋的不完备之处。因为，虽然这个理论证明你真的可以感觉到拥有多于百分之百的蛋糕，但是至少你得先有一个蛋糕。（翻译　姬十三）

---

4. 费伯学院，1978年拍摄的美国喜剧《动物屋》（*Animal House*）中的学院。《动物屋》被评为史上50部最伟大的喜剧电影之一，曾经风靡美国校园。

5. 玛丽·安托瓦内特，奥地利皇帝弗兰茨一世的女儿，19岁成为法国国王路易十六的王后。她不了解民情，当知道老百姓没有面包果腹时，惊讶道："他们怎么不吃蛋糕啊！"

防忽悠 的心理学

◎ 了解说服规律，你就可以和销售员周旋到底。

它忠心耿耿，但不是普利茅斯的勇士；它载我到新去处，但不是福特的探险者；它可在树下停放，但不是丰田的红杉（那棵树是枫树）。它是我现在的座驾，一辆 1992 年的本田思域。它甚至还有个气囊，不过是司机专用的。岁月流逝，我这部座驾也过时了，因为我的乘客们也想要气囊，我承认到了换车的时候了。

况且，车上的空调也坏了有 8 年了。我经常想要解决这个问题，可是在这么一部账面价值为 0 的车子上投下 1,000 美元实在不明智。仔细一算，花钱修理的结果不是得到一辆带空调的车，而是一部能跑的空调。

于是，我走进了汽车市场，也就是说，我要去和美国商贸史上受讽刺、被谩骂最多的人物——汽车推销员打交道了。幸好，走进展示厅的我有备而来——我读了社会心理学家罗伯特·西奥迪尼（Robert B. Cialdini）发表在《科学美国人》（*Scientific American*）2001 年 2 月刊上的《说服的科学》（*The Science of Persuasion*）。在文中，西奥迪尼概括了转变他人想法、控制他人行为的几种基本方法。明白了这些方法，也就对劝说有了免疫，不会再当冤大头了。

比方说，当第一家车行里那个啰啰唆唆的推销员发现（或捏造）他和我有相同的背景，我就知道他是在和我套近乎，因为如果对方是我们喜欢的人，我们为他做某件事的可能性就会大得多。可他的这一招并没有奏效。

几天后他打来电话，说我看过的车子减价了，而且"只在今天"。我明白他是在使用稀缺策略，因为机会有限时，我们更易受到诱惑，贸然出手。要不是那辆车的右侧视野同样有限，我说不定就上钩了。"只在今天"的优惠实在是个诱人的选择（如果我能保证从此开车只往左转的话）。

第二家车行的推销员在试车时就坐在我身边。他在车子经过一家加油站时说："乖乖，你看那价格高的。"我知道他的言外之意：他的车子能节省高价燃料。作为社会性动物，人类具有回报他人的天性。看样子，这位推销员在帮我节省未来的汽油开支，这就让我更容易在当时买下车子，回报于他。可惜那车子仿佛是一只叮当乱响的罐子，颠得人骨头散架，这让他那从理论上显示出的慷慨大方打了折扣。

来到第三家车行，我遇见了一位不紧不慢的推销员。不管那是不是他的销售策略，我都挺喜欢他的这种风格。他的车我也喜欢，于是就买下了。可到了提货的时候，我却失望地在那辆崭新车子的引擎盖上发现了一道又长又丑的划痕。接待我的推销员那天出去了，他们说我得找业务经理商谈。那位经理大人坐在一块高出展示厅 2 英尺（约 60 厘米）的平台上。这一招当然是为了把他塑造成权威人物（再来件黑袍、一把木槌就更像了），因为我们对于权威人物总有一种天然的信任和服从。

然而，我的知识又一次给我打了预防针。当我告诉他不去掉划痕我就不收货时，这位经理对我使出了互惠律和稀缺律。他说："你知道，我们是费好大劲才为你搞到这辆车的。"我立马搬出自己的稀缺律回击——我从口袋里掏出支票说："好嘛，我也是费了好大劲才挣到这些钱的，等车子没问题了再打电话给我。"

结果第二天他们就打来电话了。当然了，你我都知道，我挣这些钱并不费劲，但这个就作为我们之间的小秘密吧，大家都是朋友嘛，对吧？（翻译红猪）

汽油

知多少

◎ **油价飙涨的年代，提高汽油里程数有高招。**

2009 年 5 月 19 日，美国总统贝拉克·奥巴马（Barack Obama）宣布了新的联邦油耗标准：到 2016 年，全美轿车和轻型卡车的油耗标准应达到每加仑 35.5 英里（约每升 15.1 千米）。这略低于我开了 17 年的本田思域在高速公路上的里程数。

新标准的要求并不算高。在采访中，一位汽车保险专家告诉我："这些年，汽车的平均油耗标准已达到每加仑 27.5 英里（约每升 11.7 千米），但这个

'平均油耗标准'很没谱,计算方法简直可笑。"只要当橡胶轮胎碰到路面,35.5 就会变成 32 或 28,甚至变成通用汽车在 2016 年的股价。

话虽如此,新标准毕竟是个创举(就像我 20 世纪 70 年代那辆平庸的普利茅斯),现已初见成效(就像我 80 年代那辆差劲的普利茅斯),如果实施顺利,不仅能减少对进口石油的依赖(就像我那辆破旧不堪的普利茅斯),还能促进环保和改革事业的发展。但这就苦了大油耗车的车迷。美国俄克拉何马州参议员汤姆·科伯恩(Tom Coburn)几乎是含泪追问:"要是想开大油耗车可怎么办?身为国民,难道就没有花钱开大油耗车的权利吗?"

参议员大人,对你的痛苦我深表同情。这里我运用美国人的聪明才智给你支一招:细心保养,适当驾驶,从每加仑(1 加仑约为 3.8 升)汽油中挤出的里程数会比美国联邦政府规定的任何标准都多得多。相反,如果按以下几条方法操作,则能把任何高能效汽车变成鲸吸牛饮的石油猪:

猛然启动。这既费油,噪声又大,操作简单,其他司机一定不怀疑你的钱多得烧得慌。

多踩油门和刹车。这能让汽车的油耗标准,也就是汽油里程数降低 1/3。

从你的字典中去掉"恒速操纵"(Cruise Control)一词,除非你想阻止汤姆·克鲁斯(Tom Cruise)详述精神病史,或者不让他跳上奥普拉(Oprah)的沙发(影星汤姆·克鲁斯公然反对心理治疗,并在主持人奥普拉的访谈节目中跳上沙发)。

别给轮胎打满气。举手之劳,却能增加 3% 的能耗,值得一试。

千万别给爱车升级换代。这个有意的忽视会再增加 4% 的能耗。

尽可能让引擎空转。这是降低效率最有效的办法,能让里程数降到每加

仓0英里；比这更厉害的是用障碍物堵住车子，然后在油门上压块砖头。（千万别在车库里试第二种方法，因为碳排放有害健康，尽管有些人硬说无害。）

能绑在车顶的东西，千万别藏到车里。空气阻力能拉低里程数。开空调的时候打开车窗，这样也能增加阻力。

千万别一次去几个地方。如果超市隔壁就是干洗店，那么先去超市，买完日用品回家放好后，再去干洗店（他们可能需要点时间来洗完上一批衣物）。那外出的最佳时机呢？当然是交通高峰期。塞车是降低汽油里程数的最佳办法。

最后，重物带得越多越好。把《科学美国人》（*Scientific American*）的过刊从地下室拖出来，统统堆进行李箱。后座和地板也别空着。各种杂志、报刊、书籍也能为浪费燃料作贡献。如果你前卫到只习惯电子阅读，也可以在车里装满木材、水泥和金条。到2016年，购买汽油时还能用得上。

如需了解更多此类窍门，请登录美国联邦政府的油耗提示网站 www.fueleconomy.gov，并对照列表中的建议，逐一反其道而行之。这样，参议员科伯恩大人就能提高汽车的平均油耗了。总有一天，他们会把油门踏板从我这样踩油门畏畏缩缩的人的脚下撬走。（翻译　红猪）

脑力劳动：饥饿催化剂

◎ 从自助餐到零食，科学发现一览。

　　我常常自问：为什么每次写完一篇文章，总会觉得肚子饿呢？现在我明白了。

　　《心身医学》（*Psychosomatic Medicine*）杂志上刊登的一项研究认为，脑力劳动会导致热量摄入大幅增加——没错，我把写作这玩意就称为脑力劳动。研究人员让 14 名加拿大学生在不同时间内完成三项任务：放松坐定、阅

读一篇文章后概述大意、完成一系列记忆和注意力测试。在三项任务上各自花费 45 分钟之后，学生们得到了一顿放开肚皮尽管吃的自助午餐。之所以选择加拿大，是因为加拿大拥有一套先进的人类学研究的伦理规范。

上述每项脑力劳动需要燃烧的热量，仅比放松状态下多 3 卡路里。然而，在学生们总结完文章大意，站到自助餐桌前时，摄入的热量却较放松状态多了 203 卡路里；在完成记忆与注意力测试后，摄入的热量较放松状态多了 253 卡路里。通过对实验前、实验中、实验后所取血样的分析，研究人员发现，思考导致了葡萄糖和胰岛素水平大幅振荡。因为葡萄糖为神经元提供能量，脑部一旦缺乏葡萄糖就会向胃部发送信号，胃部则驱动双手将嘴塞满，即使脑部仅消耗了少量能量也照塞不误。这些研究人员写道："脑力劳动后过度补充热量，加上人们在从事脑力劳动时缺乏体力活动，是导致肥胖的原因之一。"好好想想这句话吧——除非你正在节食。

说到卡路里，不妨再说两句。据美国《科学》（*Science*）杂志报道，美国麻省理工学院（*Massachusetts Institute of Technology*）、纽约大学（*New York University*）与比利时布鲁塞尔自由大学（*Free University of Brussels*）的数学家设计了一种更好的方法来包裹巧克力球。以往，人们多用正方形锡箔或纸张包裹巧克力，造成大量浪费。但我们这几位不屈不挠的几何学家发现，如果将包装纸的形状换成等边三角形，则每包一枚巧克力就能节省 0.1% 的包装纸。这样一来，每吃 1,000 枚用三角形包装纸包装的巧克力球，就能省下一整张正方形包装纸啦！

既然说到零食，不妨引申几句。美国化学协会（*American Chemical Society*）的《天然产物杂志》［*Journal of Natural Products*，注意，这可不是幻图出版社（*Fantagraphics Books*）的《天然先生传》（*The Book of Mr. Natural*）[1]］报道说，在大麻中发现的几种化合物或许能够预防抗药性细菌感

---

1. 《天然先生传》，一部美国漫画书。

染。科学家自然早就知道大麻中含有抗菌成分，但由于缺乏启动资金，研究无法顺利进行，因此关于大麻潜在功能的研究少之又少。

在这项新研究中，研究人员提取了大麻中的五种成分，并对超级毒物MRSA（methicillin-resistant *Staphylococcus aureus*，即抗甲氧西林金黄色葡萄球菌）进行测试，结果发现每种成分都对细菌造成了很大破坏，而且其中两种成分似乎对精神没有任何影响——这意味着这两种成分可以制成药物，且不会导致患者精神极度兴奋：因为失控的葡萄球菌（*Staphylococcus*）感染已经让这些在医院的病床上瘫软数周的患者倍感恐惧，没人会希望再用一种对他们的情绪火上浇油的抗菌药吧。（翻译　红猪）

困 于懒惰

◎ 改变越多，越背离初衷。

这篇文章我交稿很晚。就是开不了头，没精打采。你们该了解这种情形。

幸好，编辑不能拿我怎么样，因为我愉快地发现是一种疾病造成我的拖拖拉拉：显然，我受到了"动机缺乏症"的困扰。被我在《岁末大派送》这篇文章里夸赞过的《英国医学杂志》（*British Medical Journal*），在 2006 年 4 月 1 日那期报道了这个新奇的毛病。那篇文章中写道，"极度懒散可能有医学上的解释，一批知名的澳大利亚科学家称它为动机缺乏症（motivational deficiency disorder, MoDeD）。"（MoDeD 挺容易跟 Mos Def[1] 搞混，但后者肯定没有患这种病。）

莱特·阿戈斯（Leth Argos）医生是这种疾病的发现者之一，文章接着引用了他的话。他对懒散的这些描述应该算是破绽百出，即使你忘了文章的发表日期，也会发觉这不过是个愚人节的玩笑。随后，动机缺乏症的披露捎带出一种名为 Strivor 的药物，据称，该药可以成功治愈此病，能令"以前离不开沙发的年轻人像投资顾问一样拼命干活"。想想这个可怕的副作用吧。

然而，玩笑自有它的用意：这篇文章的意图便是将人们的眼球吸引到一个关于"贩卖疾病"的研讨会上去，所谓"贩卖疾病"，就是要用医学方法解决日常问题，把身体的种种不适都看作疾病，从而为一些药品打开市场。不过，这种噱头倒是暗合了一种确实存在的毛病。随便在互联网上一搜，我们便能发现，无数媒体都毫不怀疑地引用了《英国医学杂志》的这篇报道。这正是动机缺乏的新闻界。

来点真实的新闻：在美国，恐怖袭击预警愈加频繁，以致人们对恐怖袭击的担忧也快成了新的病症（尽管人们最常见的死因还是心脏病、癌症、酒后驾车或行车中接听电话）。然而，美国的预警能力还远不够完善，这使得原本竞选美国联邦紧急措施署（Federal Emergency Management Agency，FEMA）[2] 主席等要职的 7 名候选人告知《纽约时报》（*The New York Times*），称将不再参与选举，原因是他们认为政府对应急管理并不上心。

我提到这个问题仅仅是因为美国肯塔基州议员哈罗德·罗杰斯（Harold Rogers）的一番话，他是掌控美国国土安全部财政大权的众议院小组委员会

---

1. Mos Def，美国著名的嘻哈（hip-hop）歌手。
2. 美国联邦紧急措施署，"9·11"以后，已划归美国国土安全部管辖。

主席，自然也掌握着联邦紧急措施署的经济命脉。他言之凿凿："在此地我要告诉你们，紧急措施署需要的是一个长久的领导人，那些地区及分支主管们不能再只做表面文章，而要行使起长期职责来。因为我希望在关键时刻能有人担当得起责任。"

罗杰斯的这句"在此地我要告诉你们"，令人回忆起另一段几乎以同样语句开场的演说。美国前总统约翰·肯尼迪（John F. Kennedy）在就职演说中讲道："让我们的朋友和敌人同样听见我在此时此地的讲话：火炬已经传给新一代美国人。这一代人在本世纪诞生，在战争中受过锻炼，在艰难困苦的和平时期受过陶冶，他们为我国悠久的传统感到自豪——他们不愿目睹或听任我国一向保证的、今天仍在国内外作出保证的人权渐趋毁灭。"在45年中，这个"在此时此地的讲话"，居然从民族精神和象征的全面总结，沦落为欲寻紧急措施署当家人而不得的无力告白，想想动机缺乏症吧。（翻译姬十三）

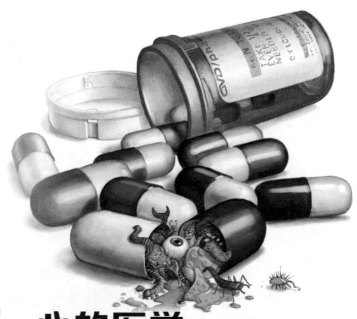

恶 心的医学

> 医学就是艺术加科学加忍住干呕。

　　长篇连续剧《陆军野战医院》（MASH）里描绘了一群不知疲倦、恪尽职守的外科医生。另一部长篇连续剧《急诊室的故事》（ER）则表现了英勇的急诊工作者所面临的复杂问题。而2013年完结的情景喜剧《我为喜剧狂》（30 Rock）里同样刻画了一位名叫利奥·斯贝斯曼（Leo Spaceman）的医生。

　　不知什么缘故，这位斯贝斯曼（也可以叫他太空人）大夫什么科都能看，精神科、器官移植、眼科、产科，样样都行。当一个刚刚当上父亲的男人问

斯贝斯曼，自己刚出生的孩子为什么"全身都是黏黏的"时，这位医生回答："因为这事就是这么恶心。"

生孩子确实特别麻烦。但是仔细地思考一下医学领域就会发现，正如斯贝斯曼所说，医学整体上就是恶心的。这自然也引出了我们下面的话题：粪便移植。

这种手术的学名为"粪菌移植"（fecal microbiota transplantation, FMT），手术时将一小份来自捐赠者体内的、经稀释的粪便移植到接收者的结肠里（够恶心的）。手术的目的是将健康的肠道菌群植入缺乏这些细菌的人体内（试想数十亿的微生物在你的肠道内游动的画面）。多项研究证明，粪便移植的细菌大军能够有效遏制难治的梭状芽孢杆菌（*Clostridium difficile*）结肠炎，而那正是严重腹绞痛和频繁血痢的罪魁祸首（已经反胃了）。传统的抗生素治疗就像细菌世界的大屠杀，会扰乱肠道细菌多样性（这种多样性能保证人体健康），而且往往不起作用。有研究者因此在《临床胃肠病学杂志》（*Journal of Clinical Gastroenterology*）上撰文，说 FMT 应该是优先考虑的选择，而不是迫不得已的选择（读医学期刊，呕）。

可惜的是，美国食品药品管理局（Food and Drug Administration, FDA）已颁布命令，禁止这些细菌骑士随便出征。2013 年 5 月，FDA 要求医生在实施 FMT 手术前填写研究型新药申请表。医学博士朱迪·斯通（Judy Stone）于她在《科学美国人》（*Scientific American*）网站开设的博客"从分子到医药"（Molecules to Medicine）中坦言，新规定将花费更多的时间和金钱，FMT 的使用也将因此受到影响。斯通特别指出了阻碍 FMT 普及的一大原因，并称其为"恶心因素"（"ick factor"）："至今为止，在我所建议的移植手术案例中，最大的阻力不是来自病患或家属，因为这些人急切地想要缓解症状，对手术求之不得。阻力主要来自其他医护人员，尤其是内科医生，他们似乎对此特别反感。"他们认为粪便移植太恶心，但腹绞痛和血痢就很美好吗？

为了消除粪便移植手术中的恶心因素，我要重申前面的观点：医学整体上就是恶心的。

在电影《非洲女王号》（*The African Queen*）中，奥斯卡最佳男主角奖得主亨弗莱·鲍嘉（Humphrey Bogart）之所以能够忍受被恶心的蚂蟥爬满全身，是为了让外科医生能有足够的时间来为他接上断指。而在现实中，蚂蟥的运用常常出现在创伤治疗中心里或显微手术中，因为它们能够制造天然的抗凝血剂，因此被用来维持血液流动。

蛆常常被用来吞食各种伤口周围的腐肉，因为它们清洁伤口的能力比医生还要强。"蛆疗法"当然不好听，于是以"幼虫疗法"取而代之，后来又改为"生物外科"，使得名字里彻底没有了"蛆"，但它们还是会出现在伤口里。

顺便给 FMT 的支持者提个醒：为了营销，"粪"字应该尽量避免。"核磁共振"（nuclear magnetic resonance）被改称"磁共振成像"（magnetic resonance imaging）不是没有道理。是的，不能有"核"（nuclear）字。

蚂蟥和蛆已经很好地证明了我关于"医学是恶心的"这个观点。再来看几个更接地气的例子：我们的脚上有趾甲真菌、脚趾囊肿、锥状趾、脚臭等种种问题；皮肤科医生要对付源源不断的皮疹、疣和痣；牙科医生要把手伸进陌生人的嘴里；骨科医生要挪动骨头的位置；耳鼻喉科医生就是来对付耳屎、鼻屎和痰的；脑外科、器官移植、泌尿科、直肠科、妇科，全都是恶心的。哪怕是儿科大夫送给你孩子的棒棒糖，也终究会令你的汽车仪表盘在你开车回家的路上沾满孩子黏糊糊的口水和手上的脏东西。

去听听寄生虫学的讲座吧，只消看一眼麦地那龙线虫的照片，你就会巴不得来点干净单纯的东西，比如朋友的大便。所以各位不妨放开怀抱，笑对微生物组移植。因为医学嘛，反正和它有关的都是恶心的。（翻译　红猪）

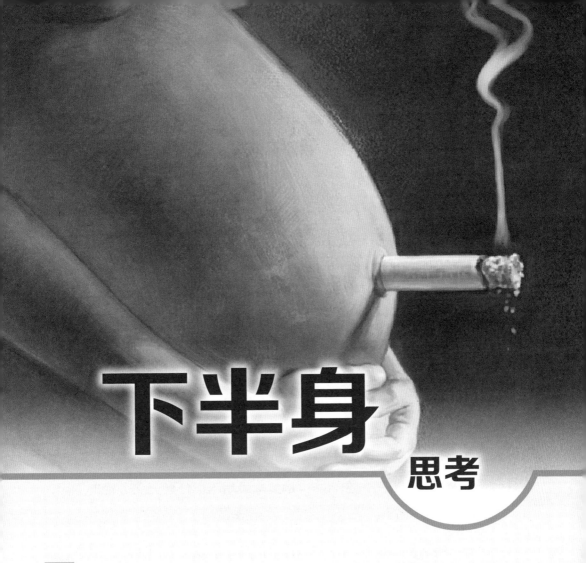

下半身
思考

◎ 关于身体某些部位的最新消息。

　　近来我听到一桩最为愚蠢的事，它竟然发生在英国，这令我相当震惊——我原以为这种事情应该出现在美国。无论如何，事情已经发生：一位政府部长称，英国有些年轻孕妇在怀孕期间故意吸烟以降低胎儿的体重，让分娩更为顺利。

这听起来比吸烟本身更凶险，不是吗？去给脑袋缠个绷带吧，如果你刚才曾吃惊到昏倒过去，还撞破了头的话。我重申一下，这是我听过的最最愚蠢的事情，很能说明一些现实的社会问题。

据一份护士杂志报道，英国公共卫生部长卡罗琳·弗林特（Caroline Flint）透露，"怀孕期间应当吸烟"这一观念是年轻女性和健康专家们告诉她的。讽刺的是，她还曾在英国工党会议上讨论过这种方法。

对于那些沉迷于这种焦油–尼古丁式的分娩方法，并且还觉得这恰恰是遵照医嘱的那些女性，我给个建议，去换一个医生吧。体重太轻会在很多方面对婴儿造成不利的影响，对减轻分娩痛苦也帮助甚微。此外，还有很多种有效减轻痛苦的方法可供选择，比如使用药物。作为一个男人，我永远都不会有福气感受将一个小生命从一个孔洞里生出来时那种撕心裂肺的痛苦，但如果我真的面临这样的情况，并且有药物能帮助减轻痛苦的话，我绝对会引用莫莉·布卢姆（Molly Bloom）[1]的话："是的，我如是说我就会如是做。"（很巧，这恰好也是莫莉最后不再怀疑无痛分娩的原因，不过这又是另外一个没有任何标点符号的漫长故事了。）

还有一些消息来自腰部以下。我在广播中听到，一位纽约整形外科医生正在寻找关于臀部手术的工作（一定也引起你的关注了吧），我在网上搜索了一下这种可以获得更性感臀部的新方法。请放心，这完全是出于职业好奇心。

这种手术对于《拯救西弗曼》（*Saving Silverman*）[2]的影迷来说，一定非常熟悉：丰臀手术。这在美国也很流行。根据美国美容整形外科学会（American Society for Aesthetic Plastic Surgery）的统计，在 2004 年和 2005 年，

---

1. 莫莉·布卢姆，爱尔兰意识流文学作家詹姆斯·乔伊斯的长篇小说《尤利西斯》中的角色。小说的最后是莫莉·布卢姆的一段著名的没有标点符号的长篇内心独白。

2. 《拯救西弗曼》，美国浪漫喜剧片。剧中提到过臀部手术。

全美总共进行了约 4,500 例这样的手术，另外还有约 10,000 例简单的翘臀手术。这种手术费用一般为 4,000 ~ 5,000 美元——价格虽然贵了点，但效果却是一百分。因为如果人们发现你做过这样的手术，他们一定会指指点点，"快看那个翘臀。"（不要指责我这种鄙夷的态度，你看，就是因为我没有做过这样的手术，我至少还能安安稳稳地坐在这里得意。）

　　最后的故事来自加拿大的麦吉尔大学（McGill University）。那里的研究者们首次打算动用热辐射红外成像技术测量性唤起速度。研究者让受试者观看色情电影，并记录他们生殖器区域的热辐射。与传统观点相反，这项研究表明，男性和女性达到性唤起所用的时间是相同的。但真正引起我注意的是实验对照组观看的录像：一段由《憨豆先生》（*The Best of Mr. Bean*）和加拿大旅游风光片剪辑而成的片子。如果这些东西可以让你兴奋，而你又不是一个打算嫁给罗温·艾金森（Rowan Atkinson）[3]的加拿大皇家骑警的话，建议你立刻去找医生进行咨询。（翻译　姬十三）

---

3. 罗温·艾金森，英国著名演员，喜剧《憨豆先生》的主演。

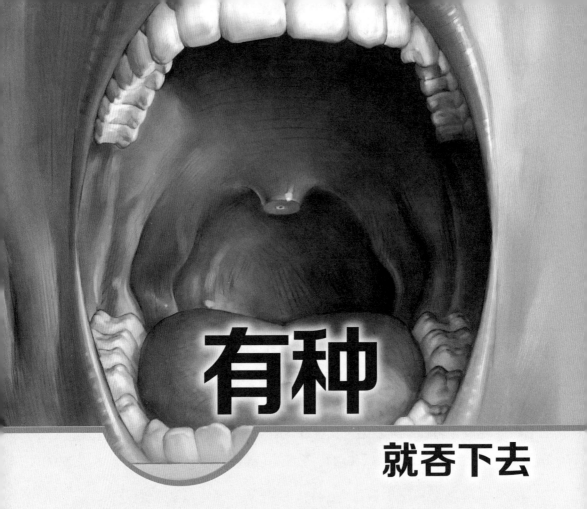

有种

就吞下去

◎ 注意你的胃，剑来了！

　　"据说吞剑是危险的。"2005 年 11 月 5 日《英国医学杂志》（*British Medical Journal*）的一篇报道以这句话开头。按照这篇文章的作者、放射线学家布赖恩·威特科姆（Brian Witcombe）的说法，吞剑的一个危险在于会因此被处以死刑。这种情况出现在宗教法庭，在中世纪，吞剑意味着神秘主义，而神秘主义则会招致死刑。想象一下，将一把长长的金属刀硬挤进你的喉咙，那将是你一生中最辉煌的时刻。

有人认为，除了会招致死刑以外，吞剑还会带来严重的医学风险。不过，据威特科姆说："几乎找不到因吞剑导致死亡的医疗案例。确实有个加拿大吞剑者不幸身亡，但那是因为他吞下了一把伞。"众所周知，在体内撑开一把伞，该有多么倒霉。

2005 年的那篇文章指出，尽管在吞剑界广泛流传着种种有关受伤的奇闻轶事，但是吞剑的风险仍有待医学界作出详细鉴定。如今，这一科研空白已被填补。威特科姆和国际吞剑者协会（Sword Swallowers Association International）的执行主席丹·迈耶（Dan Meyer）合作，对吞剑者进行了调查，并将结果发表在 2006 年 12 月 23 日的《英国医学杂志》上。这篇文章还配有一张"本文作者"同时口吞七剑的照片，令人目瞪口呆、喉咙干涩。从照片上看，这位作者显然是迈耶，而不是威特科姆。

总之，威特科姆和迈耶联络了 110 位国际吞剑者协会的成员，收回了 46 份有效的答复。这些人在过去的 3 个月内总共吞过 2,000 多把剑。在研究中，两位作者"排除了吞下非剑物体（如玻璃、氖管、矛枪或者凿岩锤等）所造成的伤害"。结果表明，喉咙痛是吞剑者普遍抱怨的问题之一，业内人士很自然地称之为"剑喉"。此外，发生频率不高但比较严重的问题包括咽喉或食道穿孔，这可能是职业危害的最真实写照。还有人打算吞下长剑，结果导致长剑穿腹而出。

两位作者对那些吞剑精英的评价是，"一些有经验的表演者玩出了花样，增加了吞剑的危险性。"比如，有人偶尔会在独轮车上表演吞剑，他最终有可能发明有史以来最有创意的扎轮胎方法；还有吞剑者在水下表演，不过要想以这种方式把剑磨快也许是徒劳的尝试[1]。

事实上，些许润滑油是一口吞下整把重剑的关键。两位作者写道："一

---

1. "磨快"的英文为 whet，与"弄湿"的英文 wet 同音，作者在这里用了英语中的谐音。

把干净的剑至少要用唾液润滑一下才能吞得下去";"有位表演者曾经用过黄油"——他显然没有意识到饱和脂肪对健康的危害;"有人因为服药引起口舌干燥而不得不退休"——如果药品说明书没有在它可能引起的副作用中加入"有可能终结吞剑者的职业生涯"这一项的话,请寻求法律诉讼。

尽管迄今为止,医学文献只对吞剑相关的伤害作过零星报道,但事实上,吞剑者在医学史上扮演过重要角色。在 2005 年《英国医学杂志》上的那篇文章中,威特科姆举过这样一个例子:"1868 年,一位吞剑者协助德国弗赖贝格的库斯毛尔医生(Dr. Kussmaul)利用直试管、镜子和汽油灯发明了硬式内窥镜。"所以,要感谢吞剑者,让医生们不只是学会了怎么把手伸进病人的钱袋,还学会了怎样将东西塞进病人的喉咙。

话说回来,两位作者在 2006 年的文章中指出,虽然国际吞剑者协会没有一位成员因为这项技艺而丢掉性命,但他们收到医药费账单时,恐怕会被高额的费用吓个半死:在一个案例中,一位成员的医疗费用接近 7 万美元。也许你可以试着在职业这一栏里写上"吞剑者",看看能不能申请到保险金。

然而,从深层意义上说,我们都是"吞剑者"。因为每个人每天都不得不"吞下"[2]不喜欢的东西。但是,我很庆幸自己是一个作家。因为,笔比剑更强大,而且体积也小得多。(翻译 姬十三)

---

2. 英文原文中,作者在此处使用了 swallow 一词,它既有吞下的意思,也有忍受之意。作者在此一语双关。

百折不挠是冠军

◎ 关于体育比赛，重要的不是怎么比，
而是怎么变。

　　欧洲举办伦敦奥运会和环法自行车赛，北美也有棒球季、橄榄球季。这些都意味着，从设备先进的研究机构到光线昏暗的制毒车间，世界各地的化学家正忙着制造各种分子，好让运动员们吞进嘴巴，吸进鼻孔，涂上皮肤，打进屁股。

　　体育迷们几乎都在谴责各种兴奋剂，说这是作弊，因为它让选手获得本不该有的好成绩。多数体育迷都认为使用兴奋剂是错误的，我也这么认为。

但我有一个问题，提出来肯定会引起激烈的辩论。这不免使我怀疑，这类关于兴奋剂的讨论里不单有理智的分析，也有严重情绪化的表达。

我的问题是：为什么在2004年美国职业棒球大联盟联赛第6场对阵纽约扬基队的比赛之前，波士顿红袜队的队医靠手术将投手科特·谢林（Curt Schilling）的腓骨短肌腱缝在较深的组织上暂时固定，却没有受到质疑？

好吧，这种问题一般得换个提法："用类固醇当然是作弊，可为什么把科特·谢林的脚踝缝合几小时，让他可以投球就不算了呢？"我是扬基队球迷，如果我把这个问题抛给一个红袜队球迷，那我马上就得冲着身后大喊："别拿着那根拨火棍追我！我没说那算犯规，只想知道为什么不算！"

巴里·邦兹（Barry Bonds），这位老兄是个类固醇使用大户，据说其他击球手只要舔他一口就能提高成绩，他大概是进不了美国棒球名人堂了。但谢林的一只血淋淋的袜子倒是进去展出了［谢林接受的手术现在被称为"谢林肌腱手术"（Schilling tendon procedure），而由于当时技术的问题，谢林一用力投球就会血染球袜］。

投球手莫迪凯·布朗（Mordecai Brown）的手曾经被一台农具割伤，从此获得"三指布朗"的绰号，但他的弧线球因此投得更好了。另一位投球手安东尼奥·阿方塞卡（Antonio Alfonseca）遗传了多指畸形症，每个手上有六根指头。我们是不是该加条规则，规定选手必须是五根手指？

还有，为什么那个"汤米·约翰手术"（Tommy John surgery，正式名称叫"尺骨附属韧带重建术"，也就是将受伤手肘尺骨的韧带用身体其他部位的韧带替换）不算犯规呢？我小的时候，如果投球手的胳膊掉了，他就用另外一条胳膊投球，抱歉抱歉，说着说着，就又不正经起来了。让我换一种说法。

——超乎想象的科学解读

我小的时候，如果投球手手肘的尺骨附属韧带受到损伤，那么他不是忍痛投球，就是干脆退役。但是在 1974 年，整形外科医生弗兰克·乔布（Frank Jobe）却从投球手汤米·约翰的胳膊里取出一根肌腱，替换了他受伤的韧带。约翰得以在大联盟继续投球，直到 1989 年。此后，有许多投球手在接受"汤米·约翰手术"后成绩优异，有的年轻投手甚至没事就想换韧带。

对于我的问题，最常见的回答是，手术只能让运动员回到以前的天然状态，并不能强化他们的身体机能。听起来倒蛮合理，但仔细想想：同样是运动员，有的被重压摧垮，有的却浑若无事，这还算天然吗？

说到天然，就来说说我最喜欢的奥运选手、七次越野滑雪的奖牌得主埃罗·门蒂兰塔（Eero Mäntyranta）吧，因为这位在 1960 年代表芬兰出征的门蒂兰塔，是个如假包换的变异人，上过 X 博士的超能学院[1]。

门蒂兰塔有种遗传病，他的红细胞、血红蛋白和血氧含量都大大超过常人。这对耐力运动员来说是件大好事（比每只手多长一根手指好太多了）。

但这其实就是血液兴奋剂，不过是天然的。哦，只要变异是天然的，就算天然的。尽管大多数世界级运动员都没有门蒂兰塔那样的单一变异，但他们肯定有一整组不同寻常、足以提高成绩的基因结构。那么，如果用了兴奋剂就要禁赛，那么拥有能提高成绩的变异也应该一样被禁赛吧？好了万磁王，别让那拨火棍飘起来，我只是问问而已。（翻译　红猪）

1.　X博士的超能学院，出自美国漫画《X战警》(X-Men)，其中的变异人都拥有超能，下文的万磁王也是该漫画中的人物。

$$\frac{dv_x}{dt} = -F(v)\,v\,v_y + B\,\omega\,v_z \cos\phi,$$

$$\frac{dv_y}{dt} = -F(v)\,v\,v_x + B\,\omega\,(v_x \sin\phi - v_y \cos\phi),$$

$$\frac{dv_z}{dt} = -g - F(v)\,v\,v_z - B\,\omega\,v_x \sin\phi.$$

出场停赛

◉ 物理学和医学才是棒球场
上的最佳选手。

　　棒球是抛物线运动。据说约吉·贝拉（Yogi Berra，美国退役棒球手）曾经说过："多看几场球，你就能学会许多。"举个例子：2010年5月29日，在纽约的扬基体育场，我亲眼目睹了扬基队的击球好手亚历克斯·罗德里格斯（Alex Rodriguez）将飞来的棒球原路送回，并击中克利夫兰印第安人队的投手戴维·赫夫（David Huff）的脑袋。撞击异常猛烈，球几乎飞到了右外野的围墙处，幸好赫夫的脑袋没有跟着一道飞出去。赫夫中"弹"倒地，在

投手丘上俯卧了好几分钟，随后被抬上担架送走。接下来，主场球迷目睹扬基队丢掉了 6 分的领先优势，纷纷愤然离场。

当时，许多观众都担心赫夫会身负重伤。我呢，由于几十年前多看了几眼物理老师，所以谨慎地保持乐观——因为那个棒球在击中赫夫的脑袋之后弹得又快又远。如果它只朝本垒的方向反弹了几英尺[1]，我就会担心这位可怜的投手会不会成为美国职业棒球大联盟历史上第二位因公殉职的球手了。[顺带提一句，唯一在美国职业棒球大联盟比赛中丧生的球手是克利夫兰印第安人队的游击手雷·查普曼（Ray Chapman）。在 1920 年的一场比赛中，他被扬基队的卡尔·梅斯（Carl Mays）投出的球击中太阳穴，再也没有恢复知觉。此后，只过了短短的 51 年，有关部门就强制投手佩戴头部护具。] 因为那样的话，棒球携带的大部分动能会转移到投手头部。但实际情况是，那一球携带的能量让球体掠过低空，直奔右外野而去，转移到赫夫头部的只有一小部分。

果然，赫夫在附近的纽约长老会医院稍作停留就重返赛场，看起来也不太糟糕。他返场时比赛还没结束。最后，经过 4 小时 22 分钟的鏖战，印第安人队以 13∶11 的比分拿下了比赛——这倒是让赫夫没有白倒下一回，可对我们这些在场的观众而言，这个过程显得尤为漫长。

在罗德里格斯打出二垒安打、击中布罗卡区（Broca's area，大脑中主管语言的皮层）的那天下午，还发生了一桩严重得多的事故。受害者是肯德里斯·莫拉莱斯（Kendrys Morales），他在洛杉矶安纳罕天使队中做一垒手。比赛将尽时，莫拉莱斯打出了奠定胜局的满垒全垒打，随后一路小跑起来，可就在他踩上本垒时，左脚脚踝粉碎性骨折。医生说他需要接受手术，可能得缺席剩下的赛季。

---

1. 1 英尺约等于 0.305 米。

　　同一天晚上，费城费城人队的投手罗伊·哈勒戴（Roy Halladay）投出了大联盟历史上的第 20 场完全比赛，对手佛罗里达马林鱼队的 27 名球员全部徒劳地挥舞着荧光棒，我是说球棒，被三振出局。《费城问询报》（*The Philadelphia Inquirer*）的比尔·莱昂（Bill Lyon）写道："哈勒戴球路叵测，忽升忽降。"

　　这位莱昂说中了一半。实际上，没有哪位投球手的过顶投球能使棒球上升——这话是肯尼思·富尔德（Kenneth Fuld）说的，他是一位棒球迷，同时也是一位心理学教授，在新罕布什尔大学（University of New Hampshire）开了一门名叫"视知觉"的课程。［说到新罕布什尔，我可是差点在那里成了职业球员。想当年，达特茅斯学院（Dartmouth College）数学系给了我一个礼拜的免费食宿，准备让我冒名顶替，参加数学系的棒球队。只要初始条件充足，数学系的那帮家伙就能准确算出对手击出的球会落在什么位置——当然，依照数学系一贯以来的传统，那个球他们是接不住的。］

　　作为芝加哥小熊队 40 人大名单里外野手山姆（Sam）的老爸，富尔德认为，过顶投出的直线速球在飞往本垒的过程中总是会略微下沉。但在击球手看来，这些球的轨迹都是水平的。当球速非常快时，它在空中的下沉幅度就会比预料中更小，这时，它似乎就向上升起来了。这是一种错觉，好比你坐在静止的火车中，却觉得车身在动，而实际是相邻轨道上的火车在动。又好比在扬基体育场里花 6 美元买个热狗显得不太贵，是因为你已经为屁股底下的座位花了 125 美元。（翻译　红猪）

疯 狂的高尔夫

◎ 打高尔夫会损伤听力？
真是闻所未闻。

高尔夫是一项危险运动：扭转挥杆容易损伤腰部；击球时肌肉反复收紧会诱发"内上髁肌腱炎"（别名"高尔夫肘"）；喝过啤酒后也可能一不小心从高尔夫球车上滚落下来，让你非常尴尬。

大约十几年前，我就在某专栏文章中谈过，糟糕的高尔夫球手会面临特殊危险。由于球经常打偏，他们不得不频繁进入深草密林，容易感染一种名叫"埃立克体病"的蜱媒病，出现发烧、怕冷、颤抖等症状。现在，医学研究人员又发现另一种潜伏在全球所有修建整齐的高尔夫球场的危害——听力损害。

实际上，我的球友就面临这种听力损害的危险，比如我常扯着嗓子贴在他们耳边大喊："看我的！"不过最新研究所揭示的听力损害，涉及一项技术革新——巨型一号木。这种让全球高尔夫爱好者痴迷的球杆，杆头之大，使得它看上去很有必要进行类固醇检测。一位球友评价说，这根怪物在击球时发出"开枪"一样的巨响。震耳的"砰砰"声连续不断，不仅使他听力下降，还引起阵阵耳鸣（这种高频的嗡鸣声，常让在树林里找球的人误以为是周边昆虫发出的声响）。2008 年 12 月 17 日，《英国医学杂志》（*British Medical Journal*）刊登了关于这位高尔夫爱好者听力欠佳的研究报告。

巨型一号木也称"傻棒槌"。因为只有傻子才会连续 13 次将球开进树丛后，仍偏执地认为下一杆会有所改善（幸好多数球场都配有 4 个近距离的 3 杆洞，否则，完全可能傻到第 18 次）。

特别值得一提的"傻棒槌"是 King Cobra LD 薄型钛金属杆面一号木。30 多年前，一号木的杆头还只有弗雷德·芬克（Fred Funk，美国著名职业高尔夫球手）的拳头大小，外面裹了一层厚厚的不锈钢；如今 King Cobra 的杆头，尺寸足足相当于帕德里克·哈林顿（Padraig Harrington）[1]的头[或者马克·卡卡维查（Mark Calcavecchia）的颅骨、格雷格·诺曼（Greg Norman）的脑袋，甚至约翰·戴利（John Daly）的头]。

为了证实关于球杆声音会损伤听力的传闻，研究人员到互联网搜索，发现了许多类似的评论："震耳的'砰砰'声快把我哥们儿逼疯了"、"其他没什么，就是满场的噪声"。根据《英国医学杂志》的测试报告，King

---

1. 此人以及接下来提到的 3 个人均为世界级的高尔夫球大师。

Cobra LD 击球时发出的响声高达 112 分贝（如果想把高尔夫俱乐部的玻璃窗震得"格格"作响，试试 Ping G10 型球杆，声音超过 120 分贝）。

King Cobra LD 实在是一款超级球杆，荣登美国高尔夫协会比赛禁用球杆之列。官方还对球杆的 COR 设了上限。COR 并非一种赌球方式[2]中衡量输赢多少的术语（"IOU"，即"我欠你"），而是"恢复系数"（coefficient of restitution, COR）。维基百科（Wikipedia）精辟地说明了 COR 的科学和文化内涵："击打前后速率的比值……高尔夫杆制造商利用所谓'蹦床效应'制造了薄型一号木，借用球杆面的额外弹力把球射得更远。不久，恢复系数就成了高尔夫玩家耳熟能详的术语。"

King Cobra 和其他非标准球杆的 COR 都极高，强烈建议贴上"禁止儿童用来蹦床"的标签。超强的 COR 产生超强的噪声。可对一些球迷而言，这正是乐趣所在。一位球友曾在网上评论自己的 King Cobra："我倒不在意'砰砰'的声音，因为听上去球好像飞得很远。"是啊，听上去很远。看来，管这玩意叫傻棒槌，不是没有道理。（翻译　红猪）

---

2. 这种赌球方式将前 9 洞、后 9 洞和整个 18 洞作为 3 个不同的整体分别下注。

噼噼啪啪
做研究

◎ 一个男人的一次又长又响又不对称的冒险为其赢得了一次热烈的掌声。

体质人类学（physical anthropology）的最新研究表明，人类的进化之路从未经历过用指关节支撑行走（四肢着地）的阶段。尽管如此，我们却已经进入，并且尚未脱离压迫手指关节作响（knuckle-cracking）的进化阶段。把我的手指（包括脚趾）关节全部用上，也不一定能数清有多少音乐家在演奏一个简单音阶前，需要克服用指关节"即兴演奏"一小段的欲望。尽管压迫手指发出响声很受大众欢迎，但是多数压指名家大概都听过某个专家的忠告（他的开场白很可能是"我不是医生，但是……"），说这种行为会导致关节炎。

1998 年，一位医学博士在《关节炎和风湿病》（*Arthritis & Rheumatism*）杂志上发表了一篇题为《压迫指关节会导致手指关节炎吗？》（*Does Knuckle-Cracking Lead to Arthritis of the Fingers?*）的论文，强有力地推翻了上述外行观点。2009 年 10 月上旬，这篇论文的独立作者唐纳德·昂格尔（Donald Unger）获得"搞笑诺贝尔医学奖"，他的大名也因而占据了新闻头条。

在这里，我得向不了解"搞笑诺贝尔奖"的读者作下介绍：这个奖项是每年在正式诺贝尔奖的颁奖前夕，由名为不可思议研究的组织颁发的，获奖者的研究成果要"首先使人发笑，继而让人思考"。昂格尔的情况让我想到，他的研究方法或许可以证实他患有强迫症。下面的文字摘自他的著作："50 年来，我每天压迫左手手指关节发声至少两次，右手作为对照组不予压迫。因此，我左手指关节总共响了至少 36,500 次；而右手指关节很少响，偶尔响一下也是自行发声。"

正如昂格尔自己所写的，他之所以亲身实践进行这项正义的研究，是因为"早在孩提时代，许多'著名的权威人士'（这里是指他的母亲、几位阿姨以及后来的岳母）都曾警告他说经常压迫手指关节会导致关节炎。"于是，他用了半个世纪的时间"来验证这一假说的准确性"。在研究期间，每每有人提出忠告，他都会机智地回答说结果还没出来。

终于，50 年过去了。昂格尔对他的数据进行了分析："两只手都未出现关节炎，而且这两只手也没有显著差异。"于是他总结道："压迫手指关节作响与日后出现的手指关节炎之间并没有明显联系。"至于这位医学博士的脑袋是否也被挤压过，或许可以从他自加利福尼亚州的家中启程前往哈佛大学（Harvard University）亲自领取他的"搞笑诺贝尔奖"中找到证据（两地相距约 4,600 千米，驾车需要 42 小时）。

实际上其他学者已经针对这一现象作过研究。昂格尔的这篇论文发表之后，医学博士罗伯特·斯威齐（Robert Swezey）也向《关节炎和风湿病》投稿，报告自己在 1975 年进行的一项研究——研究的合作者是斯威齐当时 12 岁的儿子。研究的目的简单明了，就是为了让孩子的奶奶停止对孩子压迫手指关节作响发牢骚。研究结果同样显示，并没有发现压迫手指导致关节炎的证据。后来，斯威齐还咨询了兰德公司（Rand Corporation，美国战略研究机构）的统计学家约翰·亚当斯（John Adams）。亚当斯指出："显然（昂格尔的）研究并没能做到双盲 [1]。就这项研究而言，双盲只有在研究人员分不清左右的情况下才有可能实现；而这一点几乎不可能做到，因为研究表明，只有 31% 的初级保健医生分不清左右。"

这场指关节骚动让我想起一件事：几年前美国斯坦福大学（Stanford University）的骨骼发育专家戴维·金斯利（David Kingsley）也参与了这个领域的研究。当时他上四年级的儿子的同学问他，压迫指关节作响是否有害。他鼓励孩子们自己讨论方案来寻找答案，同时他也查阅了医学文献。他回忆道："当时一个孩子说，可以把房间里的人分成两部分，一部分人经常压自己的手指关节，另一部分不压，最后看谁患上了手指关节炎——这是个干预实验。我说，这个主意不错，不过这个实验可能要持续 20 年。"我看甚至要 50 年。

金斯利接着说："后来一位流行病学家建议我到养老院去看看，问问那里的人们压不压手指关节，再看看他们得没得关节炎。我能找到的相关研究正是这样做的。"事实上，这样的研究有两个：一个是斯威齐对 28 家护理院成员的调查研究；另一个是一篇发表于 1990 年的论文中针对 300 个门诊病人的调查研究。这两个研究都没有发现喜欢压迫手指关节作响的人更容易患手指关节炎的证据。所以昂格尔本可以早一点结束他的研究的。不管怎么样，还是应该为他热烈鼓掌以示庆贺。（翻译　红猪）

---

1. 双盲，指研究对象和研究者都不了解试验分组情况，而是由研究设计者来安排和控制全部试验。

骑车去**冥界**

○ 虽然没有马戏团工作经历，
他们仍能在公路上表演精彩特技。

　　有这么个故事：一个卡车司机穿着带有大卡车图案的针织毛衣，行驶在漫长孤寂的公路上。他的双手都有别的事要忙，于是就用膝盖开车。一位公路巡警看在眼里，跟了上去。警察驶近卡车，通过警车上的扬声器下令："停车（Pull over）！"司机反吼了一嗓子："不对！这是羊毛开衫（cardigan）[1]！"

　　我虽然不是正牌执法警察，但有时也会在路上做做代理长官。通常的做

---

1. 羊毛开衫与上一句中的 pull over 相呼应。停车的英文 pull over 发音同 pullover，后者是"套衫"的意思。

法就是向心不在焉的驾驶者提出安全建议，比如"开慢点！""别变道！"最常说的是"别打电话！"

我最近一次致力于公共安全的时间是在 2009 年 12 月中旬，地点是阳光普照的佛罗里达。当时我从劳德代尔堡沿岸沿着传说中的 A1A 海滨公路向南行驶，在我前面的是一个骑着小型摩托车的年轻人，时速约 55 千米。突然间，他的速度慢了下来，我也只好跟着减速。接着，他的时速开始在 30 千米上下游移。我从他的左侧超了过去，瞟了他一眼。原来这家伙放慢速度，是为了能专心干好手头的工作：发短信。

这个年轻人双手捧着智能手机，艰难地用两根拇指拨弄着键盘。哎哟，我心想，新科状元诞生了。我要说说前科状元，那是几年前我在波士顿遇见的一名妇女。当时她双手都在忙，边接电话边记录对话中的要点，因此只能用膝盖和手肘控制车辆的行驶方向。当她驶近我乘坐的小汽车，近到我可以伸手轻叩她的车窗时，她的一举一动让我尽收眼底。

但是，这个骑摩托的年轻人连膝盖都没用上。没错，摩托车转动的轮子会产生陀螺效应（gyroscopic effect），的确能让他在驾驶车辆、头发飞扬时暂时保持不倒（我说了他没戴安全帽吗？），或许还能让他在推特（Twitter）上向追随者们吹嘘一番自己的蛮勇。

命运安排我们要见上一面。开了大约 800 米，我停下车等红灯，那辆摩托车正好也在我左侧停了下来，那个年轻人居然还稳当地坐在上面。我觉得有必要和他分享一些重要的公共安全知识，于是摇下车窗，友善地喊了声"嗨"。他看出我要和他寻开心，于是应了声"啊？"我刚要传达重要信息，他就说了声"等等"。与此同时，他摘下耳机，原本从智能手机的音乐库中流出的、盖过环境噪声（包括引擎声、喇叭声和其他能够明确显示环境氛围的声音）的音乐立即停止了，不再向他那颗没戴安全帽的脑袋里输送。

　　"听着，"我不抱希望地对一个不把自己当回事的大脑讲起了道理，"拜托签一张器官捐献卡。"他不解地望着我。我解释说："如果签了捐献卡，当他们把你从路上抬走时，至少还能用你的器官救几条人命。"说话间，交通信号灯由红转绿，这个榆木疙瘩又去一心两用了。我不由地想到那些急需一个肾、一个肝、一颗心，还有其他器官的人们，想到他们的祈祷马上就会应验，这可多亏有我啊，当然了，也多亏他骑车发短信的习惯。

　　多项研究表明，一个清醒的司机只要拿起电话，就会变得如同醉酒的人一样乖张，发生事故的概率也将提高到原来的四倍以上。但近年来，研究者才开始研究发送短信对驾驶技术的影响，大概是因为他们从来也没有想到有人会技术高超到这个地步吧。初步结果显示，发短信比打电话更糟。因此请牢记，不要边打电话边开车，不要边听 MP3 边开车，也不要边发短信边喝酒［说实在的，前女（男）友对你的现状真没兴趣］，还有，绝对不要边发短信边开车。如果出于某种深奥的原因，你本应盯着路面专心开车却忍不住编辑又短又乏味的信息，那么至少去签一张器官捐献卡。这样，移植大夫在接收你的遗骸时，就能对开头那位卡车司机的话作出回应了："这个也有卡(It's a card again)[2]！"（翻译　红猪）

2.　"也有卡"的英文 card again 与第一段中羊毛开衫的英文 cardigan 发音近似。

读不了 存着走

◎ 书中自有颜如玉，阅读器中有黄金屋。

　　说到新型电子魔机（gizardry，这是我刚刚创造的词，意为魔法和机械的混合体，另一个意思是鸟类的消化），我不属于典型的"早期用户"，甚至谈不上"早期适应者"（一个冒牌电子专家曾这样称呼我）。有时候我也纳闷：难道我的人生目标已经降低到不把各种电子设备插错了吗？

　　不过说来也怪，我居然成了亚马逊第二代电子书阅读器（Amazon Kindle）的长期用户（从 2009 年 2 月份开始的！）。这款电子书阅读器看起

来平淡无奇，却未来感十足，很像《银翼杀手》（*Blade Runner*）中哈里森·福特（Harrison Ford）亡命天涯时使用的阅读器。

2008 年，我妹妹买了台 Kindle 一代。她常出差，喜欢在飞机上阅读丹·布朗（Dan Brown）和罗宾·库克（Robin Cook）的小说。于是，我趁出差的机会跟她借来试用一番。以往出门，我总会带上几本书。那次我郑重其事地用天平称了一下 Kindle 和书本（真的都称了重量），便立即决定也要买一台，而且要轻便超薄的最新款。

亚马逊已经将许多书的电子版打折出售。可我很快发现，许多免费资源也可以使用。"古登堡计划"就试图在网上发布所有版权过期的文献，并且已经上传了数千部古典名著，使得读者在数秒之内就能将它们下载到家用电脑上，然后转存到 Kindle 上去。30 多年前我就买了《卡拉马佐夫兄弟》（*The Brothers Karamazov*），但一直将其闲置在家中的书架上，未曾读过。Kindle 到手后 5 个月内，我已经在三大洲读过电子版的《卡拉马佐夫兄弟》了。

[顺便说一句，该小说在 1958 年被拍成了电影，捧红了初出茅庐的年轻演员威廉·沙特纳（William Shatner）；他后来还出演了《星际迷航》（*Star Trek*）中的柯克船长，常在片中手握一台酷似 Kindle 的仪器，总是扫一眼，签个字，再递回去。由此看来，这可能不是台电子书阅读器，而是台太空调拨仪，供船长购买极难保存的红色星舰制服。]

Kindle 还可以随意存放 PDF 文件和文本文件。以前开编辑会，都是把 125 页的文稿和选题统统打印出来。现在只要把 PDF 文件放到 Kindle 里就行了。会议期间，手指轻轻一动，就能随意在编辑笔记和丹·詹金斯（Dan Jenkins）的高尔夫小说《渺茫和无望》（*Slim and None*）之间切换。小说正好提到概率问题——这么说吧，你看到本文与我阅读《卡拉马佐夫兄弟》的概率一样小。

话说回来，Kindle 也并非完美无缺。让用户免费试读第一章再购买全书的做法会让不够谨慎的读者做出错误的选择。不久前，我就是这样在去伦敦的途中买下了迪恩·孔茨（Dean Koontz）的畅销书《无情》（*Relentless*），其故事情节如人咬狗般不可思议：小说家先是遭遇恶评，继而被书评人追杀。

读着读着（警告！下文剧透！说"剧透"算是客气的，表示还有剧情可透），我竟然掉进一个奇异的世界，其中好人到处逃命，坏人成了知识分子。还有个叫米洛（Milo）的小孩，只有 6 岁，是物理鬼才，并读过陀思妥耶夫斯基（F. M. Dostoyevsky）的《罪与罚》（*Crime and Punishment*），不过是漫画版的。我越读越迷惑，时而摇头，时而挠头。直到我读到：米洛造了台远距离传送装置，尽管不能传送自己，却能传送比他轻 5 千克的家犬。一来二去，狗狗不用仪器也能把自己传送出去，就跟伊万·巴甫洛夫（Ivan Pavlov）的狗学会在没有食物时流口水一样。它还因此挫败了一场险恶的阴谋。汪汪！

在故事的高潮，米洛把盐瓶改装成一个小范围适用的短暂时光倒转机［电视剧《银河访客》（*Galaxy Quest*）中欧米伽 13 的变体］，拯救了世界。这个 6 岁大的小朋友还让自己被害的小说家父亲起死回生。获得重生的父亲抓住机会，制服了攻击他的人——书评家的母亲；这位老太太策划了一个巨大的阴谋，企图降低美国人民的文化水准。（没开玩笑，情节就是这样的。）看罢全书，我算是领教了 Kindle 的最大缺点：这东西价值 299 美元，谁也舍不得将它往泰晤士河里一扔了之。（翻译　红猪）

140字 的研究

⊙ **要是所有人都同时上了推特，那会怎样？**

你有推特（Twitter）吗？目前，全世界有数百万人正在推特上发最多 140 字的留言。我禁不住想象：要是推特和它的所有用户都已存在了几千年，那会是怎样一个光景？

达人哥拉斯[1] 直角三角形惊人大发现！直角边平方和等于斜边平方。可能有用。

---

1. 本文中出现的用户名为假想的名人的推特昵称。

欧几里得非我　写书中，书名《几何原本》（*Elements*），定能在今后四千年将高一学生统统逼疯。光圆锥曲线就能让他们哭出来。

阿里斯多芬必得[2]**@ 欧几里得非我**　啥曲线？你身上的？哈哈哈，懂的懂的。喂喂，青蛙很好玩，好玩吧？

阿基咪咪　自勉：多洗澡。最好的主意都是澡盆里想出来的。

咖喱略　知道刑具摆到面前时什么东西会动吗？结肠。怕怕，下潜……

莱布尼痴　发明了曲线面积的计算方法：将曲面分割成越来越小的部分，直到每一部分的宽度为零。取名微积分。

牛苹果顿 @ 莱布尼痴　是你发明的？你连哄两岁小孩睡觉的故事都发明不出来。对了，生小孩真恶心。

莱布尼痴 @ 牛苹果顿　坐树底下别动，没准下回掉下来的就是个大家伙。

牛苹果顿 @ 莱布尼痴　苹果要掉你身边，你最多想"哦哦，做成苹果酱吧"。

长毛艾伯特 @ 牛苹果顿　斗嘴请找同一个重量级的。对了，你的重力算错了。通常只错一点点，但错了就是错了。**@ 欧几里得非我**　你也一样。

欧几里得非我 @ 长毛艾伯特　无证明无真相。

绿野稻草人[3]**@ 达人哥拉斯**　等腰三角形任意两边的平方根之和等于第三边的平方根！

门捷烈度夫 @ 欧几里得非我　我的那坨东西取名元素周期表（Periodic Table of the Elements），和你的《几何原本》（*Elements*）没关系，明白？

---

2. 阿里斯多芬必得，假想的阿里斯多芬的昵称。阿里斯多芬，古希腊喜剧作家，作品有《青蛙》。

3. 绿野稻草人，指电影《绿野仙踪》中的稻草人，后面这句话是其台词。

欧几里得非我 @ **门捷烈度夫**　我们就像两条永不相交的平行线。

达人哥拉斯 @ **绿野稻草人**　错得离谱，不过还是恭喜一下。至少你的跟头越摔越高级了。

牛苹果顿 @ **达人哥拉斯**　你不可能越摔越高！

长毛艾伯特 @ **欧几里得非我**　两条永不相交的线？告诉你，它们是会相交的。

唐屋达文公　今天又是蚯蚓加藤壶。感觉不大舒服。

达人哥斯拉 @ **牛苹果顿**　我是说越摔越高级，又不是越摔越高。你炼金炼昏头啦，出去透透气！

长毛艾伯特 @ **门捷烈度夫**　给我腾个地方，周期表上的 99 号位就留给我。

阿非华莱士 @ **唐屋达文公**　蚯蚓和藤壶……你都吃了？喂喂，包裹收到了吧？

唐屋达文公 @ **阿非华莱士**　收到啦。肠胃更不舒服了。我们得谈谈。

居锂　唉，为了一小撮镭得翻几千千克的沥青铀矿。沥青铀矿我恨你！

因祸得福[4]　华盛顿下雪了，这毫无疑问地证明全球变暖子虚乌有，别的不说了！

富兰克林蜂 @ **因祸得福**　我在雷暴里出生入死就为了你们这些废柴？

大棒 99 号[5]@ **长毛艾伯特**　握手，我也是 99 号。冰球里有好些有趣的物理学。

因祸得福 @ **大棒 99 号**　可冰球棍是断的！

富兰克林蜂 @ **因祸得福**　老实说你在丢我们大伙的脸。

---

4. 因祸得福，指反对"全球变暖说"的共和党议员詹姆斯·英霍夫。
5. 大棒 99 号，指美国著名冰球手韦恩·格雷茨基。

长毛艾伯特 @ 大棒 99 号　我比较喜欢看电梯赛跑。

SJ 古尔德　发言不能多于 140 字？这规矩谁定的？太可笑了！简直是荒谬！说"可笑"都太客气了。那么多道理 140 个字怎么可能说清楚嘛，140 个字，"演化"的定义都不一定能说清楚，不要说讨论更复杂的问题了。这里管事的是谁？有没有念过大学？这程序谁写的？什么学校教出来的？管理员？管理员呢？我要投诉，简直太脑[6]

罗杰托利皮特[7]　叽叽！（翻译　红猪）

---

6. 这里缺少了"残"字，由于最多只能输入 140 字，后面部分不能显示。
7. 罗杰托利皮特，指罗杰·托里·彼得森，美国博物学家，鸟类学家，曾录制各种鸟叫声。

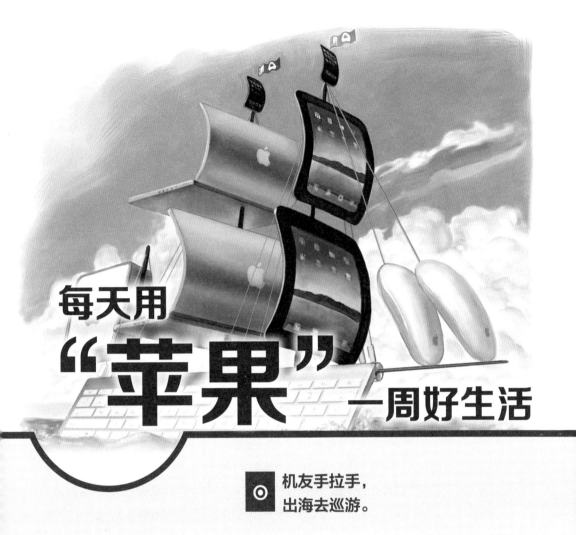

每天用"苹果"一周好生活

◎ 机友手拉手，
出海去巡游。

　　主讲人走上讲台，教室内一阵轻微骚动。我安静地坐着，左手握着护身符［一部苹果手机（iPhone）］，膝盖上放着效忠的标志［一台苹果笔记本电脑（MacBook）］。电脑是崭新的，是为了这个场合特地买的。如果不这样，广大群众就会识破我的真实身份［一个过去25年都在使用运行DOS和视窗操作系统（Windows）的个人电脑用户］，并把我扔进海里去。这是因为，眼下我正在参加一个为期一周的聚会，它被称为"第十届爱果主义者巡游"。

　　这是2010年5月的第一个星期，我和102名苹果粉登上了荷美邮轮公司旗下的文旦号（*Veendam*），从纽约启航，向着百慕大的方向往东南进发。我在 2008 年和 2009 年也都出了海，但当时参加的是"灵感之行"（Insight Cruises）公司赞助的"科学美国人之闪亮地平线"系列讲座，身份是演讲嘉宾。这次的"爱果者巡游"也是"灵感之行"组织的，这家公司还组织过歌剧巡游、天文巡游和刺绣巡游，连网站都是 geekcruises.com[1]。

2009 年夏天，我的那部只能打打电话、拍拍模糊照片的旧手机在暴雨中进了水，坏掉了。接着我就去买了生平第一款苹果产品——一部 iPhone。从那以后，它就永久性地和我的左手粘在了一起。因此，当我得知这次巡游的主题是如何拓展 iPhone 的用途时，我立马就决定参加（这次是自己掏钱）。我还买了台 MacBook，这样就不会在别人说到这台机器时一头雾水了。

一同出海的同学们对苹果产品死心塌地，举手结果显示，四分之三的人已经拥有了苹果平板电脑（iPad）。但话说回来，他们能够登船，这本身就足够说明问题了。对于与会群众，《纽约时报》（*The New York Times*）科技版的专栏作家戴维·波格（David Pogue）是这么总结的："你们对苹果货是够热衷了，花了这么一大笔钱参加巡游，就是为了能和其他受压迫的少数派攀谈几句。"

尽管大家都是爱果主义者，但挑刺者依然不乏其人。苹果公司开发的脚本语言 Applescript 的产品经理萨尔·苏霍恩（Sal Soghoian）就承认，iPad 的屏幕会反光："每次看视频都会看到自己的鼻孔，我已经厌烦了。"话音刚落，就有俏皮的听众喊道："印上指纹就不会反光啦！"

屏幕上的指纹的确是个问题，但波格也说了，"iPhone 的屏幕有疏油涂层。"什么油涂层？"蔬油嘛，就是菜油——好啦，是疏油，就是减少油迹汗渍的技术。"接着，他就向观众展示了他那块乱糟糟的屏幕。"你们都看到了，油得不得了，但只要用布一抹……"说着，他把 iPhone 在裤腿上一抹，"就

---

1. geekcruises 意为"极客巡游"。极客，为 geek 的音译，常指对于计算机和网络技术有狂热兴趣并投入大量时间钻研的人。

变得一干二净，油什么的，全没了。"iPad 的屏幕也能通过同样的方式清洁，但是，波格补充道："你得穿条肥大点的裤子。"

指纹之类的小事放到一边。直到安迪·伊纳克（Andy Ihnatko）上台演讲，观众的狂热才被真正调动起来。伊纳克是《芝加哥太阳时报》（Chicago Sun-Times）科技版的专栏作家，也是"苹果水族箱"（用旧的苹果机箱改造的水箱）的发明者。有那么一段时间，伊纳克的 MacBook 无法和船上的影音系统对接，于是他嘀咕了一句："还是买台运行 Windows 7 的电脑吧，可没苹果那么麻烦。"话音刚落，听众中就爆发出一片嘘声。要不是伊纳克紧接着表示刚才只是开玩笑，几个听众早就冲上讲台了。

爱果者的爱还表现在对苹果文化衫的渴求上。《苹果大世界》（MacWorld）杂志的编辑部主任贾森·斯内尔（Jason Snell）出示了一件印有苹果标志的高尔夫球衣，说是送给在场任何一位能穿上 XXXL 号（苏霍恩称之为"程序员尺码"）的人。这款球衣，史蒂夫·乔布斯（Steve Jobs）在产品发布会上也穿过（乔布斯大人威武！）。有位眼红的与会者随即叫嚣道："我愿意增肥！"（增肥还有个好处：能穿更肥大的裤子来抹 iPad。）

在游艇上增肥是件很容易的事，因为每天都吃 6 顿饭。尽管如此，我还是在宴饮之余学会了许多有用的东西，比如：怎么从数字多功能光盘（DVD）上复制电影。斯内尔告诉我们，根据《数字千年版权法案》（Digital Millennium Copyright Act），编写能够复制电影的软件是违法的。美国电影协会还宣称，使用这些软件也是违法的。但有些法律学者认为，你要是购买了《伸张正义》（And Justice for All）、《十二怒汉》（12 Angry Men）或《糖衣陷阱》（The Firm）的 DVD，并且完全出于个人使用的目的复制到 iPhone 上，那么显而易见，你并没有违法，尤其是在公海上这么干。（翻译　红猪）

拼字游戏

的心理危机

◎ 在拼字游戏中无计可施的笔者。

我从来不觉得国际象棋好玩，偶尔玩两局扑克，但水平也不高。我最喜欢的游戏还是 Scrabble[1]，这个爱好可以追溯到我还是一枚受精卵（zygote）的时候。如果是在游戏中，那枚小东西加一个字母 s，变成复数形式 zygotes，得分就能高一点。

总之，在互联网发明之前，我就经常和几个伙伴挤在一起，分成小组，凑在拼字板前玩 Scrabble 了。我们画好棋盘，从一个小袋子里抽出 7 张字母牌列在棋盘下方（正式游戏中，它们被放在搁架上），一个人从里边选出字母拼成单词，下一个人再抽出字母牌补足 7 张。我们计算每一次拼写的得分，

---

1. Scrabble，一种英语拼字游戏，玩家用从袋子里抽出的 7 张字母牌，在 15×15 的彩色方格棋盘上拼出单词得分，棋盘上的不同位置和不同字母代表不同的分数。

然后与此前的分数相加，并把结果写在纸片上。这是最原始的方法。

如今有了网络、无线技术与智能手机，我们这些 Scrabble 玩家就能随时随地玩上一局，折磨一下对手了。你可以在凌晨 4 点抛一个难词给对手，使他在 1,600 千米之外的早餐桌上一口噎住。

不过，现今的高科技 Scrabble 也会带来前所未有的心理危机：每拼完一个词，屏幕上都会显示出用刚才的字母所能拼出的最佳单词，令玩家懊恼不已。最糟的情况是玩家没能看出潜在的"宾果"（bingo）——用光列在搁架上的所有 7 个字母恰好拼成一个单词，并得到 50 分的奖励。为了在公众面前自我批评一番，下面就列出我在早春的那几周里没能拼出的宾果单词中，与科技有关的那些。

首先，我怎么可能错失了 CAMPHENE（莰烯，73 分）呢？当初念本科的时候，我可是差点用它毁掉了一间有机化学实验室啊。EPOXIES（环氧树脂，96 分）也让我给忘了，还有 EOSINES（曙红，61 分）这种重要的染料。

当我看到机器显示出 ANSEROUS（鹅肌肽，131 分）时，顿时感觉自己像一头笨鹅。而看到 ENURETIC（遗尿，61 分）之后，我立即冲向了男厕所。AMBARIS（洋麻，77 分）这个词我居然不知道，真是惭愧，因为这种纤维里能够生产出类似黄麻纤维的大麻，而"黄麻"（jute）是我常用来玩文字游戏的一个词。

我没能拼出的植物单词简直太多了。有 ORRICES（鸢尾草，76 分）、SEGETAL［在田间生长的（杂草），76 分］、INDUSIA（囊群盖，64 分）、FERULAS（阿魏，75 分），以及陆地上的 ANEMONES（银莲花，77 分）等等。我不由得想，植物学家玩这个游戏或许能大有作为。

作为一个喜欢吃蘑菇的人，我居然没有拼出 PORCINI（牛肝菌，72 分）。而作为一个观鸟者，我以为我已经看过足够多的琵鹭了，但我居然没有意识到我手上的字母可以拼出 ROSEATE（玫瑰色的，73 分，roseate spoonbill 是一种鸟，叫玫瑰琵鹭）。

在物理学的世界里，NEGATON（负电子，77 分）只是电子的另一种说法。我吃惊于自己居然没有看出 GYRATORS（回旋器，68 分），说明我的物理学得真不怎么样。不过，你如果想要 FOREKNOW（预知，104 分）的能力，那就不是物理学而是形而上学了。

如果一个人的气管呛进了食物，需要海姆利希手法（Heimlich's maneuver，气管呛进异物时的抢救法，以手猛击呛食者胃部使异物喷出）。他可能会栽在我手里，因为我不认得 MANEUVER（手法，84 分）。要是你没有拼出 VIROLOGY（病毒学，68 分），那么你认出 VARIOLES（痘痕，71 分）的可能性也不大，除非你的脸上还残留着皮疹留下的疤痕。这个词在地质学上也有球颗的意思，地质学家用它来形容岩石表面的麻斑，它们或许是 BOLIDES（火流星，95 分）从外太空穿入大气后散落的碎片砸在岩石表面形成的。说起岩石，如果你要攀岩，REVERSO（由 Petzl 公司研发的一种登山保护器，68 分）这东西还是用得着的。

我怎么会没认出 CAESAREAN（剖宫产，68 分）呢？现在可是有三分之一的美国孩子是这样出生的啊。另外，我虽然知道有种怀孕激素叫雌三醇（estriol），却不知道它还有个名字叫 THEELOL（81 分）。说到怀孕，许多哺乳动物的怀孕都是 ALLOGAMY（异体受精，86 分）的结果，之后就是DIESTRUM（动情间期，70 分）了。

面对这种种失误，我简直想找个风景宜人、面积有 DEKARES（几十公亩[2]，90 分）的地方，在 1.8 米厚的 SOLONETZ（碱土，101 分）底下长眠了事。或许在参加完我的葬礼之后，当聚集的人们相互多交换一些单词时，会为我说两句好话。（翻译　红猪）

---

2. 1 公亩等于 100 平方米。

小孩子
有大智慧

○ 别小看小孩子的智慧，
他们往往有惊人之作。

做父母的总是会想，孩子能从自己身上学到什么。举例来说，我母亲的语言表达能力很强，在我两岁时，我母亲曾问我是不是尿湿了（wet），我的回答据说是："不仅湿，而且浸透（saturate）了。"而我父亲呢，他喜欢从字面上理解问题。于是在一两年后，有人问我最喜欢的唱片是怎么放起来的时候，我的回答是"转了一圈又一圈"（那时可移动唱片刚出现，音乐被压制在巨大的胶盘唱片上，唱片在名副其实的"唱盘"上转动）。

别看那些小淘气个子小，说出来的话却可能早熟得离谱。2011年6月1日，弦论专家布莱赖恩·格林（Brian Greene）在2011年世界科学节上作了一个简短发言，让我不由想到了这个。格林说，他有时会很好奇：一个小孩子，究竟能从家人在饭桌上的谈话中吸收多少信息？他还表示，他本人已经获得了一些值得考量的数据——一次，他抱起3岁大的女儿，说爱她胜过宇宙中的任何东西，小姑娘反问："只是这个宇宙，还是多重宇宙？"

再举个印象更深刻的例子（至少对我是这样）。我那7岁大的侄孙经常对各种科学和数学问题表现出浓厚的兴趣。他和许多学龄前的孩子一样，也对冥王星在2006年被踢出行星家族感到相当失望。他非常悲伤，以至于在我问及此事时，他只说了句："我不想谈这个。"还有一次，他的祖父开车载着他驶离一条公路，开上环形立交，依次经过北、东、南、西四个方向后，开上了另一条公路。这一系列操作结束之后，孩子说了句："我们转了270度。"这要么是从聪明的父母那里学来的，要么是在极限运动比赛里看来的。

当然了，不是所有孩子都会投身科学事业。很多孩子（即使不是大多数）似乎都挺适合当律师，如果他愿意的话。在这里，我就谈谈一个熟人的7岁小孩。她父母允许她在沙滩上"再玩5分钟"，时间一到，父母提醒她离开。不料，小姑娘宣布，时间不可能已经过了5分钟。"我看才过了10秒。"声音从漏风的牙齿间溜出。当然了，她刚才可能正以相对论速度移动，如果是那样，她和父母就都是对的。

当我将这篇文章交给《科学美国人》（*Scientific American*）的主编玛丽埃特·迪克里斯蒂娜（Mariette DiChristina）时，她跟我说了她5岁大的女儿马洛里（Mallory）快速心算的故事。马洛里有一次大声提问："等我像妈妈那样到42岁时，妈妈应该是几岁？""我们算算看。"玛丽埃特开始心算。但小姑娘立马就回答了自己的问题，一边还笑话她这个笨妈妈真会去费心计

算：“哎呀，妈妈，那时你已经死了呀！”

以上讨论的小孩确实都很聪明，很有见识，但要说到小孩子的可怕脑力，恐怕还没人比得上幼年时的卡尔·弗里德里希·高斯（Carl Friedrich Gauss）。据说，这位数学家在念小学时，老师给他布置了一道从 1 加到 100 的无聊作业。那位老师大概是想让小高斯就这么 1 加 2 得 3、3 加 3 得 6、6 加 4 得 10 地加下去，加到呕吐为止，他自己好趁机去墙角打个盹。可是没过多久（可能只有 10 秒）高斯就宣布答案是 5,050。老师一算，还真对了。

如果你不知道他是怎么算的，到网上搜索“高斯”和“数列”就行了。你也可以把这个问题丢给哪个小不点。如果对方瞬间算出结果，他可能就是多重宇宙里最聪明的孩子之一。（翻译　红猪）

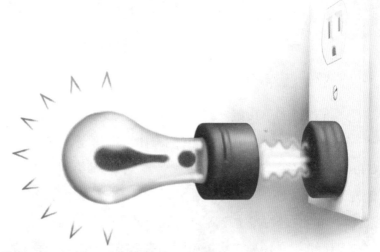

他们年轻

他们干劲十足

◎ 就在我们发愁的时候，一些年轻的大学生正忙着创造未来。

　　这年月，无论是看报纸、看美国有线电视新闻网（Cable News Network, CNN），还是看四周，都难免有种大难临头的感觉。但我在 2010 年 10 月底遇到的一群人，却着实给我打了气。他们提出了许多新想法，设计出了很多新玩意，让我眼前一亮。当时，美国发明家名人堂在弗吉尼亚州的亚历山大市举办了第 20 届大学生发明家竞赛，我遇到的就是最后闯进决赛的那 10 支队伍。

这个竞赛的宗旨是选拔出最好的本科生和研究生发明队伍。我第一次报道这项赛事还是在 2004 年，那年的大奖得主是厄兹居尔·沙欣（Ozgur Sahin）。他在 11 岁时就用乐高积木搭建出了一台机械加法机。2004 年，他凭借改进的原子力显微镜摘得大奖（我本人迄今在智力上的最大成就是成功摸索出如何在一台数字电话答录机上设定时间）。

在 2010 年的竞赛作品中，有一件非常精巧的器具，我一眼就看上了。它的设计者是美国利哈伊大学（Lehigh University）的三位本科生：迈克尔·哈尔姆（Michael Harm）、格雷戈里·卡佩切（Gregory Capece）和尼古拉斯·罗查（Nicholas Rocha）。三人在念大学一年级时，曾有人要他们设计一件能让上了年纪的人在家里多呆些时间的厨房用具。

我们也来构思构思：一台内置了放大镜的冰箱怎么样？这样就能让老人家看清楚里面藏着什么了。一张可调节桌腿长短的桌子怎么样？这样就不用在吃饭时徒劳地往桌脚下垫火柴纸夹来阻止它摇晃了。在厨房工作台上安一台可自动换台的电视机怎么样？这样，它就能在感应到电视中播放的恶意的政治言论时，自动切换成舒缓的音乐了。

然而罗查这个大胆的本科生提出的方案与我们的构想截然不同。为了将自己的队伍领上正路，他进行了一项十分新颖的研究：找上了年纪的老人们拉家常。他在颁奖晚宴上对听众说："我来自佛罗里达州的维罗比奇，我们那里有许多退休老人。我和祖父母还有他们的朋友聊天，了解他们在厨房里都会碰到哪些困难。他们说：'我喜欢用搅拌机，喜欢用烤箱，也喜欢用电动开罐器，全都喜欢用，可要是一下全都摆出来的话，厨房工作台上就会堆得满满当当。'于是，这些老人家就要不停地插插头、拔插头，这对他们来说并不轻松。"我本人暂时还不会去申领养老金，但有时也会觉得从墙上拔下三相插头简直应该列入奥运会比赛项目。

  "老人家的急需就是发明的方向。"在这样的指导思想下，三个年轻人想出了一种"M插头"。它是一个能分成两半的圆柱体，其中的一半始终插在墙上的插座里，另一半则连接在咖啡壶或其他电器的插头上。（另一半要多备几个，甚至可以给每个需要频繁插拔插座的家电都配一个。）只要两部分相互靠近，吱啦！（各位要是不喜欢这种音效，可以改成号声。）内置的磁铁就会将它们吸到一起。这个装置不像三相插头那样需要对准方向，只要两面对齐，就能形成电流。

  三位年轻人展示了一个样品，但他们说磁力还要微调一下，这样既能够保证两部分互相贴合，还能让你那位慈祥可敬的老妈妈轻而易举地将它们分开。这样，她才能在早餐过后拔掉咖啡壶，连上搅拌机，开始调配打完高尔夫之后要喝的那一杯鸡尾酒。

  本科生组的其他作品包括一款新型手术用止血海绵，这种海绵能够自行溶解，即使不小心留在病人体内也无妨，这正是外科医生在发现止血海绵少了一块时梦寐以求的事情。还有一件作品是个智能钻头，可以用来指导经验不足的整形外科医生以精确的角度打磨骨头。（目前的做法是让经验丰富的医生用手指点着骨头的一端，并让新手瞄准他那根训练有素的手指。）研究生组的作品比沙欣的那台加法机还复杂。若要完整了解入围选手和优胜者的情况，请访问 www.invent.org/collegiate。对了，记得要插插头哦。（翻译 红猪）

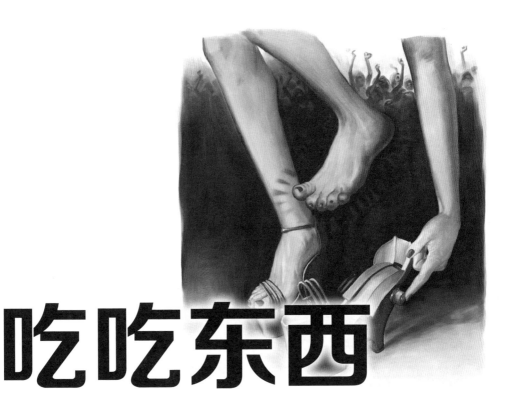

吃吃东西

跳跳舞

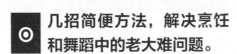

几招简便方法，解决烹饪和舞蹈中的老大难问题。

在上一代人的眼里，今天的发明完全不可思议。比如我每天都用口袋里的智能手机和美国各地的人玩拼字游戏。我这部手机的优点是用途多、功能强，就在昨天它还自行编辑了我撰写的一条信息，把其中一个让人反感的单词改成了更加斯文的"公爵夫人"（duchess）——尽管两个单词只有第二和第三个字母相同。

　　虽说种种神奇的小东西已经普及开来，但眼下还是有两三样真正实用的装置有待发明。我说的不是那种能杀出一条血路的飞行轿车，而是我们真正需要的东西，比如逐个成熟的香蕉。当你买下一把香蕉，它们为什么就非得在同一时间发育成熟呢？按理说应该是周一熟一根、周二熟一根，循序渐进地熟才好。这个想法并未超出科学家的能力范围，农学家完全能够让香蕉的外皮厚薄不一，让一把中的每一根香蕉以不同的速度成熟。药学家在面对类似的挑战时就研制出了能逐步释放药力的感冒药，证明这是完全可以做到的！

　　一种方法是将塑胶唱片重新利用起来。技术的进步（我口袋里的手机就是很好的例子）已经让数百万张唱片遭到遗弃，现在只能躺在全国各家铺着蓬松地毯的录音室里终老。其实我们完全可以把香蕉固定在这些唱片上，然后在正对唱片的方向上装个喷嘴，源源不断地喷出一小股具有催熟作用的乙烯气体。一条机械臂控制着唱片的转速，使它们按照固定的周期，在每分钟33转和每分钟45转之间交替变动（如果唱片够老的话，每分钟16转和78转都是可以的），这样就能确保每根香蕉接触乙烯的时间不同，以不同的速度成熟。这种办法真是既简单又有效。

　　这种方法不仅能精确调控香蕉的成熟期，还能减小香蕉皮的摩擦力，从而提高它们让行人摔个四仰八叉的能力。说到这里，我不由想到了鞋子。你是不是经常见到打扮入时的美女出入舞厅？她们足蹬名贵舞鞋，那鞋子可能比她们衣柜里所有东西加起来还贵。几个小时后，当美女们离开舞厅时，却不得不把鞋子提在手里，如同拿着两只小小的手袋。这些可怜的姑娘被时髦逼上了绝路——几个小时的舞蹈让她们的双足饱受摧残，肿胀得不成样子。对付这个问题只有一个办法，那就是让舞鞋也具有扩张性。

　　在一定程度上，脚肿是可以缓解的，只要在鞋帮两侧装上皮筋就行了。这项技术已经让没有鞋带的平底鞋增色不少，每每在机场安检口被迫脱鞋的

生意人对它很青睐。然而对舞鞋而言，最难解决的问题则是如何适应脚底的肿胀。应对这种挑战，就像修行者在寻求顿悟。

解决的方案其实就在家家户户的餐桌上：一些餐桌的桌面通常是由两块活动的面板组成，只要拉开活动面板，插入备用面板，原本只能容纳 4 个人的餐桌就能坐下 6 个或 8 个人了。才华出众的制鞋工匠完全可以设计出能像餐桌一样拉开的鞋底：只要插进几块面板，舞蹈者心头的喜悦之情就会随着玉足一齐膨胀。

最后再说说农艺。以前，椰子这种水果是能轻易破开的，但那些好日子已经一去不复返了。现在要想撬开一只椰子，你得动用全套工具才行——是的！我喜欢香蕉和椰子！不过基因工程师肯定有办法让椰子壳变薄，让消费者能像打破蛋壳一样打破它。当然了，壳这么薄的椰子势必无法从传统的椰子树上全身而坠。因此，基因工程师在让椰子壳容易打开的同时，还得把椰子树培育得特别矮小。不把东西弄破，这也是突破的一种嘛。（翻译　红猪）

你买吗？

你信吗？

◎ 在沉闷的旅途中，五花八门的商品目录成为旅行者的消遣品。但是，谁会真的相信这些广告，并掏钱购买这些价格不菲的小玩意？

　　2008 年 2 月的一天，我从纽约出发，坐火车北上，去波士顿参加美国科学促进会（American Association for the Advancement of Science）的年会。没想到，人未到，就和科学技术先行邂逅：眼前就放了一份兜售高精尖产品的目录。我一看就迷失在了"眼前的明日世界"之中。

　　比如，目录上有种产品能"利用角质蛋白纤维，立刻改变秃顶和脱发的

状况"。你只需把这种纤维像撒盐一样撒到头上即可。假如你稀疏的头发还没变白，那就可以像撒胡椒粉那样，少来一点。据说，这些细小的纤维能附着在你为数不多的几撮头发上，经过一段长度不定的时间，你的头发就会变得浓密、茂盛。产品的售价倒真是能让头发竖起来——每盎司（1 盎司约为0.028 千克）高达 23 美元。

目录上还有一整版减震鞋的广告，标满了各种小字说明：这种鞋结合充气轮胎技术，在鞋跟安装了"轻巧的能量交换"弹簧。你瞧，弹簧是"鞋底的主要引擎，利用你的体重把身体抬高"。广告宣称："这简直就是古希腊风神埃俄罗斯（Aeolus）把他神奇的劲风放进每只鞋。"看起来差一点吧。鞋的售价从轻松愉快的 120 美元直攀 220 美元天价。

再往下几页，声波与水波在海滩和泳池"邂逅"了：这就是苹果公司推出的播放器（iPod）的防水配件。一旦 iPod 装进"防碎的聚碳封套，就能防水防沙"。整个封套可以漂浮在水面上，让您在水中也能享受音乐的高雅魅力。广告真正打动我的是"内附背带"。当封套装上背带，再放入能够播放视频的 iPod，这套带播放功能的穿戴设备就成了一台"永动机"。此封套以 149 美元的售价"冲到浪尖"。

下一页介绍了一台硬币自动分装机，"每分钟能分类包装好 312 枚硬币"。售价 17,900 美分，另付 1,900 美分可得到一整套硬币包装纸。

接下来是一台去除"游泳圈"的巧妙装置。这台机器紧贴地面，正面有把手，反面有护膝。使用时，身体和地面平行，从一边扭到另一边。尽管它不高，却像所有运动自行车一样有个后座，用途是摆放滴汗的衣服。机器售价是"扭曲"的 199.95 美元。

想在离开酒吧前测试一下自己的驾驶能力吗？试一试装有"先进半导

63

体传感器"的呼吸式酒精检测仪。这台数码酒精监测装置"高级而操作简单"。只可惜没有考虑到最大的技术难题：一位烂醉如泥的使用者。产品标价 139.95 美元，和酒后驾车一样离谱。

还有一种"六头电源"，只要使用墙上的一个电源接口，就能同时使用你所有的电器。售价真是令人如遭电击：99.95 美元。

翻过自动旋转表盒、会向空中发射旋转翼的闹钟、能够发射棉花糖的枪，就到了太阳能除鼹鼠机（solar-powered mole repeller）。与之相反的是人的皮肤，一晒太阳就变黑（solar-powered mole creator）[1]。这根树桩形状的机器，装有光伏电板，可以发出强大的脉冲，把那些讨厌的小家伙赶到邻居的花园。售价：在 39.99 美元处"挖掘"。

怎样才能让耳朵更灵敏，外表更年轻？试试这款类似手机蓝牙耳机的助听器。因为，所有时髦的年轻玩家都在努力让自己变成博格人 [Borg，美国科幻剧《星际迷航》（Star Trek）中的半有机物半机械的生化人]。售价是令人无可奈何的 39.99 美元。

在星巴克里，你的笔记本电脑终于能派上点用场了。它除了储存你未出版的小说以外，还可以通过 USB 接口为"智能旅行杯"供电，让里面的咖啡保温。售价同样高级：19.99 美元。

最后这件，配上图片的话会更清楚明了，但管它呢！这是一台自助式颈椎牵引仪。只消把这东西挂在门上，把脑袋伸进绳套，拉扯绳索，伸展颈部即可。每台 54.95 美元的售价，叫人头皮发麻。当然，发明这东西的人早晚会得达尔文奖[2]。（翻译　红猪）

---

1. 作者这里是一语双关，因为 mole 在英语中既可以指鼹鼠，也可以指斑块。
2. 达尔文奖，一个奇怪的奖项，专门颁发给那些以离奇而愚蠢的方法令自己意外身亡或失去生育能力，使自己愚蠢的基因不能再传播下去的人。

遭遇 智能马桶

◎ **两个抽水马桶的故事。**

2006 年 8 月初，我收到一则来自印度孟买的消息，那里正在拍摄宝莱坞大片《加油！穆纳拜》（*Keep at It, Munnabhai*）。剧组人员在一个公共洗手间拍摄时遇到了麻烦：每当演员经过自动冲水便池，传感器就会自动启动，哗哗的冲水声随即响起，这一场戏的胶片也就报销了。"这么多剧组工作人员挤在厕所里，常常会同时触发便池的传感器，冲洗声此起彼伏，响成一片，"

电影导演拉库马·希拉尼（Rajkumar Hirani）对美联社记者抱怨道，"事实上，我们不得不暂时离开厕所，等待冲水完毕。"

孟买的自动冲水厕所让我回忆起自己关于自动冲水厕所的倒霉经历。那次遭遇发生在个人计算机的先行者——微软公司总部。

那是 1997 年：科学家宣布了克隆羊多利的存在，《辛普森一家》（*The Simpsons*）超过《摩登原始人》（*The Flintstones*）成为美国有史以来连续播放时间最长的电视动画片，新出炉的自动冲水厕所使美国的保洁工作受益良多。总而言之，那是迅猛发展的一年。

那年 2 月，我正在西雅图参加美国科学促进会（American Association for the Advancement of Science）年会。与会记者受邀参观雷德蒙德附近的微软总部，我也理所当然地加入了参观的行列。其间，我离开了报告会场（我还记得报告是关于可靠的声音识别软件的研究进程，给人留下的唯一印象就是这种软件还存在着无法解决的问题），东游西逛了一会，找到了一个洗手间。我走进去，把马桶盖子掀起来，然后按照正常流程解决内急问题。搞定之后，本着对公众利益负责的态度，我试图冲水。意想不到的问题出现了。

在寻找任何手柄、按钮甚至拉绳未果以后，我发现了一个很小的黑色方框，中间还有一个闪亮的红点。我意识到自己遇到了电子技术。

显然，这是一个传感器，它应该在终端用户提裤走人的同时，触发自动冲水系统。但是，我既没有见到水流涌出，也没有看到马桶被清洗，更没有目睹流水呈漩涡状退去。在没有清除所有的"罪证"之前，我是绝不会离开的。于是，我开始了一场极其细心的调试分析。通过对马桶上所有部件的几何性质、相对位置和功能进行了详细分析之后，我得出结论：根据传感器的安装位置，它只能被一样东西阻隔，那样东西就是掀起的马桶盖。只要马

桶盖子呈掀起状态，系统就会默认马桶还在使用之中。于是，我放下了马桶的盖子。

这个简单的动作，在解决了上百万场婚姻危机后，终于成了我的救星。这个被我们称为"电子眼"的东西突然意识到，人类的任务完成了。 水开始向大海奔流，把很小一部分经过处理的咖啡因送入皮吉特海湾。

在洗手的时候，我开始反思在微软的如厕经历，有两种可能的答案可以解释我遇到的问题。一种可能是：安装自动冲水部件的人运用最先进的运动传感技术和深层次的人体工程学理论，促使人们养成放下马桶盖的习惯。另一种可能性是：马桶盖和传感器只是偶然组合在一起，形成了鲁布·戈德堡式（Rube Goldbergian）[1] 串联，因此，马桶盖起到了旧式冲水手柄的作用。作为一个通过点击"开始"来关闭计算机的视窗操作系统（Windows）的用户，或者作为一个知道大多数人对冲洗马桶并不会如此敬业的人，我打赌是后一种可能造就了这个自动冲水马桶。（翻译　徐蔚）

---

1. 鲁布·戈德堡（Reuben Lucius Goldberg，1883.7.4 ~ 1970.12.7），美国国家漫画协会的创始人及主席，美国历史上最著名的漫画家，因在漫画中设计"鲁布·戈德堡机械"而闻名于世。这个机械的特点是用非常复杂的设计来完成极其简单的任务。后来，Rube Goldbergian 这个词常常被用来形容那些过于复杂的事物。

大象
如何站在铅笔上

◎ 一个关于石墨烯、大象和铅笔尖的故事。

这是 @qikipedia 在 2011 年 9 月 1 日发的一条推特（Twitter）全文："如果有一层保鲜膜那么厚的石墨烯（graphene），那么想把它刺穿就需要一头大象平衡地站在一支铅笔上。"一番侦察工作显示，这个说法源自哥伦比亚大学（Columbia University）的机械工程学教授詹姆斯·霍恩（James Hone），他在 2008 年说过："我们的研究证明，石墨烯是人类所知最坚韧的物质，比结构钢还坚韧 200 倍左右。如果有一层赛伦保鲜膜（Saran Wrap）那么厚的石墨烯，那么想把它刺穿就需要一头大象平衡地站在一支铅笔上。"

这位教授的宣言引发了一系列问题，第一个问题："什么是石墨烯？"

微软的 Word 软件就不知道，它一个劲地在"graphene"底下画红色波浪线，那意思是"你要写的是不是'grapheme'（字母）？"（当然不是，尽管我的确在这个页面上堆满了各种字母。）

幸好，维基百科总算是收录了石墨烯的定义，它来自安德烈·海姆（Andre Geim）和康斯坦丁·诺沃肖洛夫（Konstantin Novoselov）合写的一篇论文（这两位就是凭借对这种神奇物质的研究获得了 2010 年度的诺贝尔物理学奖）。他们的定义如下："石墨烯是一种紧密组装成二维蜂窝状栅格结构的单层碳原子（原文如此），也是构成其他各种维度石墨材料的基本成分。它可以变成零维的富勒烯，卷成一维的纳米管，或者堆成三维的石墨。"请想象一张铁丝网，再将网上的每个节点替换成一个碳原子，你想象出来的这个怪东西就是石墨烯了。（好吧，是虚拟的石墨烯。）

霍恩教授是宁愿设法将几层石墨烯堆叠成保鲜膜的厚度，也不愿意为我接下来的问题费心的。那么，善良的读者，我就把这些问题都留给您吧，我们这就开始。

首先，那支铅笔是垂直的还是水平的？就权当它是垂直的吧。这样一来，那头大象的全部体重就都集中在石墨烯的一点上了。水平的铅笔在多数状况下都是没有用处的（比如躺在铅笔盒里时），除非是在墙壁上写字。

其次，那支铅笔是用什么做的？普通的铅笔头不可能承受大象的体重。那么答案肯定是被卷成巨大纳米管的石墨烯。（对纳米管来说是巨大的，但对铅笔来说正好。）制笔的时候不妨在石墨烯卷里加入一根较细的石墨柱体，这样就真的可以书写了，可那样又太学究气了一点。（不过话说回来，不能写的还能叫铅笔吗？大概不行吧。有人跟我说过我不能写，而我也显然不是一支铅笔。）

　　总之，我们现在有了石墨烯保鲜膜和石墨烯铅笔。下一个问题是：那头大象要怎么弄到铅笔上去？且慢，稍等片刻。这大象是体重 6,800 千克的非洲象呢，还是体型较小、仅重 4,500 千克的亚洲象？

　　这两种动物不光是体型不同，性情也大不一样。你或许可以安然无恙地让亚洲象表演这个特技，但我是不会试图让一头非洲象站上一支铅笔的，尤其是一头非洲公象。它或许无法将石墨烯的铅笔压断，但十有八九会奋力抗拒，把整个实验室摧毁。

　　其实仔细想想，我们对那头大象了解得并不算多。它是一头成年象，还是一头象宝宝？要站上铅笔的话，一头亚洲象宝宝是最容易的选择。另外，大象接近石墨烯的时候，研究人员有没有播放美国作曲家亨利·曼西尼（Henry Mancini）的《小象进行曲》（*Baby Elephant Walk*）[1]？如果没有，是为什么？毕竟这样的机会可不是天天都有的。

　　当象宝宝的体重集中在铅笔的笔尖上时，产生的压强能将下面的石墨烯刺穿吗？如果实验原本需要的是一头成年非洲象，那么我很怀疑那头 100 千克的象宝宝是否够重。如果那头可爱的小象把全部重量都压在那支强度卓绝的纳米铅笔上，那么保鲜膜或许没有问题，就怕小象会撑不住，铅笔会在可怜的象宝宝身上扎个洞，并整个陷进它的肉里。这下，就会有一头受伤的亚洲象宝宝在你的石墨烯上血流不止，一头象妈妈在一边气得发疯，一群动物保护组织的人在外面大声抗议了。

　　我们最终还是得挑选一头完全长成的亚洲象，它的身上要包裹一层保护性的石墨烯，它的象腿站在石墨烯的铅笔上，在石墨烯的薄膜上保持平衡。而且它还不能像这篇专栏文章这样——偏离中心。（翻译　红猪）

1.　《小象进行曲》，亨利·曼西尼为影片《哈泰利！》（*Hatari!*）所作的插曲。

挂羊头 卖狗肉

◎ 谈谈我们的鱼类和鸟类朋友。

在感恩节那天，我亲眼目睹了一只鸟是怎样填饱自己肚子的。那是位于美国佛罗里达州博因顿比奇的洛克萨哈奇国家野生动物保护区的一只大蓝苍鹭（*Ardea herodias*）。正午刚过，这只苍鹭猛地把它的长嘴插进运河上漂浮着的一团植物中，当它把嘴拔出来时，脸上粘满树叶，中间是一条像鹅那样怪叫着的鲶鱼。这位鸟类美食家如此漂亮地露了一手，就把色拉和寿司两道菜全都搞到了。

随后，大蓝苍鹭在飞行了约 70 米远后，来到一片沙洲，把它的战利品扔到地上，并开始检查另一条大鱼的情况。这条鱼显然是它先前捉到并藏在这里的。（我在网上找到一些参考资料，证明大蓝苍鹭偶尔才会同时捉到两条鱼，这使得我的观察不能称之为真正的科学新发现。）

大蓝苍鹭每次捉到大的猎物，都要把猎物摆弄好一阵子才一大口吞下去。它反复地用喙戳鱼，把鱼弄软，然后把鱼浸在水中弄湿，还要调整鱼的方向让鱼头朝前，便于吞进嘴里。我看见那只苍鹭将两条鱼来回摆弄。虽然是感恩节假期，但在这个野生动物保护区中看不到火鸡的踪影，只是有一些红头美洲鹫（turkey vulture）飞了过来，想从苍鹭那里分一杯羹。苍鹭哪里肯让，拼命想保住自己的两条鱼，但最终还是力不从心，不得不把第一条鱼让给了红头美洲鹫，自己则专心摆弄那条比较新鲜的鱼。折腾近一个小时后，苍鹭叼起那条已经被啄得伤痕累累、完全变软了的鱼，把它转到一个适合吞食的方向，然后一口吞了下去。看完了这一幕，我就去了父亲家中，狼吞虎咽海吃了一顿。

感恩节刚过，另一则与鱼有关的消息让美国佛蒙特州的人大跌眼镜。据《伯灵顿自由报》（*Burlington Free Press*）报道，尚普兰湖中的八目鳗经常抢在人之前吃掉美味的鲑鱼和鳟鱼，佛蒙特州人岂能容忍，于是把它列为"佛蒙特州'最不受欢迎'入侵物种名单上的头号恶棍"，但基因分析却发现，这种八目鳗其实是佛蒙特州土生土长的鱼，并非什么入侵者。要说它的原住民资格，也真是老得吓你一跳：早在 11,500 年前，那时尚普兰湖才形成不久，这种鱼可能就被困在湖里了。

这件事让向来以身为佛蒙特人而自豪的当地人大受打击。有一个流传很广的故事说，一对佛蒙特州夫妇来到美国新罕布什尔州一家紧靠两州交界处的医院，妻子在那里生下了孩子。第二天，这对夫妻就带着他们的宝贝儿子回到了佛蒙特州的家中。这个孩子从此再未离开过佛蒙特州，后来成了一位

德高望重、备受尊敬的市民，活到将近一百岁才安详地驾鹤西去。当地报纸刊发讣告的大字标题为："新罕布什尔州的一位先生在佛蒙特州辞世"。

最后一则消息讲的是一伙侥幸逃生的鱼。美国爱达荷州参议员拉里·克雷格（Larry Craig）看来有意要跟美国俄勒冈州波特兰市的"鱼类数量统计中心"过不去了。据《华盛顿邮报》（*The Washington Post*）报道，该中心的鱼类统计数字表明，哥伦比亚河–斯内克河水力电气工程令不少鲑鱼死于非命。如果让一部分水漫过水电站的堤坝，而不是从水轮机中流过，那将使众多鲑鱼得救。此事闹上法庭后，一位法官作出了对鲑鱼有利的判决。

参议员克雷格曾被美国国家水电协会授予"年度最佳国会议员"的称号，此时，他再不出手相助，更待何时？他只是在一份涉及了 300 亿美元拨款的总法案中轻轻地加上几句话，便令鱼类数量统计中心每年应获得的 130 万美元经费一笔勾销。克雷格抓住 2003 年的一份独立审计报告来刁难该中心。这份报告的确对该中心提出了几点批评意见，但《华盛顿邮报》援引一位审计报告作者的话说，该中心的工作技术水平是相当高的，审计人员对它的工作总的来说持肯定的态度。然而克雷格却玩弄断章取义、攻其一点不及其余的手法，利用该报告来误导公众。

克雷格在为他们的行为辩护时认真地说："错误的科学导致错误的选择。"而不讲科学则只能导致无所作为。他的新闻秘书在回答记者的提问时表示，克雷格绝非报复，因为"这不是他的作风"。该新闻秘书的名字也相当妙，叫"牙鳕"（Whiting），这名字可是同鱼大大有关的啊！（翻译　吴安）

利润的泪花

◉ 一些人可能会为清理洒掉的牛奶而哭泣。

　　"如果打算生产无铅玩具、安全食品这类产品，那么生产成本将提高，这就意味着沃尔玛超市里产品的价格将上涨。"

　　这段话是美国 CNBC 财经频道主播、"米洛·明德宾德商学院（Milo Minderbinder School of Business）的毕业生"埃琳·伯内特（Erin Burnett）说的。如果有人对米洛·明德宾德不了解，请允许我作一下简单介绍：米洛·明德宾德是约瑟夫·海勒（Joseph Heller）的著名小说《第二十二条军规》（Catch-22）中的一个人物，他利用第二次世界大战发财，有一个庞大的自由贸易组织，名为 M&M 公司——第一个 M 代表米洛（Milo），

第二个 M 代表明德宾德（Minderbinder），中间的"&"用以消除"该组织由一人掌控"的印象。

M&M 公司是一家真正的跨国公司。米洛·明德宾德与德国人作了一个交易，让美国士兵轰炸美军自己的基地，以此节省各方面的开支。当然，这样一个残暴可恶的举动，势必带来很多无法避免的后果。"这次米洛玩得太离谱了……政府高官介入调查，议会愤怒指责这种暴行并要求对他进行惩罚。军人的母亲们团结起来，声称要进行复仇。没有一个人肯站在米洛一边为他说话，所有正派的人都觉得受到了他的侮辱。米洛陷入了墙倒众人推的境地，最后只好公开了账簿，透露了他所赚得的巨额利润。"

另一次冒险是，米洛·明德宾德垄断了埃及的棉花市场。但是他发现他卖不掉这些堆积如山的传统纺织品原料。于是他找到约塞连（Yossarian）——《第二十二条军规》中的主角，给他尝一些又软又圆的棕色东西。"这是什么？"约塞连咬了一口问道。"裹着巧克力的棉花。"米洛回答。约塞连随即吐了出来，"你疯了吗？""给它一次机会……并不是那么难吃吧。"米洛回应。"何止是难吃。"约塞连言道。后来，米洛又作了一次尝试，他说："上次是开玩笑的，其实是棉花糖，很可口的棉花糖。"不过，无论这个东西被他称作什么，都依然难以消化。

回到文章开头那段令人难以消化的评论，伯内特试图对自己的"生产无铅玩具、安全食品会降低利润"的警告加以解释："没有人希望自己的孩子玩危险的玩具，没有人愿意。我不愿意，你也不愿意。但安全和质量是需要代价的。"给以后类似的安全警告提个醒吧：如果没有"但"，这句话听起来将更加真实。简单地说，"安全和质量是需要代价的"。

在一次投票中（并非学术性质），我所调查的人中 100% 都愿意用更高的价格购买健康无毒的食物。掺入涂料中的铅会使涂料的颜色变得更加明亮和鲜艳。所以很有可能一只给芭比的梦幻狗屋准备的无铅小狗实际上可能是更便宜的，虽然它的毛色看起来不够光鲜。有没有什么例子让这个关于假狗的话题变得更加真实、更加现实呢？近几年，狗粮中添加了一种含有三聚氰胺的添加剂，那种化学物质其实是一种阻燃剂，只是让食物看起来含有更多的蛋白成分。

列宁有一句名言："资本家会卖给我们用来绞死他们的绳子。"他若听到商业巨头说"不毒害儿童就可能导致财政亏损"也会震惊吧。但是生意总归是生意。就像当初米洛以 7 美分一个的价格买进鸡蛋，又以 5 美分卖出，却还是有利可图。"并不是我创造了利润，"他解释说，"而是整个公司创造了利润，每个人都有份。"

顺便再说一件事情：之前我们曾讨论过爱达荷州参议员拉里·克雷格（Larry Craig，曾被美国国家水电协会授予"年度最佳国会议员"称号）是如何在法案中加入几句话从而试图关闭俄勒冈州的一家鱼类数量统计中心的，而事件的起因是由于该中心的统计数据表明当地一个水电系统导致了鲑鱼数量的下降。然而，此后克雷格意外地突然辞职，他该有更多的时间在斯内克河边垂钓了。（翻译　姬十三）

无处打喷嚏

◎ 戴着面罩该如何打喷嚏？吃火鸡会瞌睡吗？幻灯片和机场安检一定有效吗？让我们一起来破除生活中的种种"迷信"。

约吉·贝拉（Yogi Berra，美国扬基棒球队最有名的捕球手）、电焊工和外科医生都面临同一个问题：戴着面罩时如何打喷嚏？捕球手和电焊工打喷嚏，身体不过难受地反弹一下，而外科医生打喷嚏则忧心忡忡，唯恐把各种细菌喷进手术中在病人身上"挖出"的大口子。这样可不妙。外科手术时，最糟的就是听到医生说"啊噢"（同样糟糕的是"我的表呢？"；"哎呀"虽然简洁明了，也让人担心），那么如何避免在"阿嚏"之后又"啊噢"一声呢？

答案可以在《英国医学杂志》（*British Medical Journal*）中找到。该杂志每年的最后一期都会刊登大量趣文，解答科学和医疗中诸如此类的"紧迫问题"。[当初，清教徒如果没有离开英国前往新英格兰，日后为了摆脱《英国医学杂志》，说不定会另创《新英格兰医学杂志》（*New England Journal of Medicine*）。]

先来看看外科医生如何打喷嚏。公认的做法是，外科医生应该正对手术区打喷嚏——因为口罩会让喷出的气流逆行，从口罩边缘飞出，从而远离创口。但是，英国某医院的两名整形医师在查阅文献后，并未找到确切证据证明口罩会把喷出的痰液甩到两边。于是，他俩开始不紧不慢地着手验证这一假说。他们用磨好的辣椒粉刺激戴着口罩的志愿者，并用高速摄影技术记录他们打喷嚏的情况。

实验结果：仅有少量喷出的气流从边缘逸出，还有一些从底部溜出，飞到外科医生的胸前。大半喷出物似乎都留在医师身上，病人则一尘不染。在这里，两位医师没有给出明确的建议，所以可以这样理解："外科医生在手术中如果想要打喷嚏，完全可以顺其自然。"这条指导简直就是理性版的"祝你健康"（美国人对打喷嚏的人习惯性地说"祝你健康"）。

《英国医学杂志》还特别刊登了一篇评论，破除了另一个流传甚广的"医学迷信"。评论称，感恩节大餐引发的倦怠感，并非火鸡中色氨酸的作用。自从那年感恩节，刚吃过火鸡大餐的戴夫老爹（Uncle Dave）在美国国家橄榄球大联盟（NFL）双重赛的第二场中，解开腰带躺在沙发上酣睡，这种氨基酸就背了好几年的骂名。实际上，色氨酸在火鸡肉中的含量与在等量的鸡肉、牛肉中的含量相同，而猪肉和奶酪中的色氨酸含量其实更高。引起嗜睡的真正原因是，大餐促使血液流出脑部，从而带走了氧分。此外，正如评论作者指出的那样："酒可能也起了推波助澜的作用。"

在题为《一位医师生命中的一天：PowerPoint 演示》（*A Day in the Life of a Doctor: The PowerPoint Presentation*）的一则简讯中，两位英国内科医生指出："PowerPoint 演示的主要目的是娱乐观众。演示中的知识性内容反倒没人在意。"他们进一步建议："一页幻灯片中排版的行数越多、字号越小，其中偶然引用的数据遭到批评的风险就越小。"另外，"在规定时间内，幻灯片张数与此后被问到棘手问题的数目成反比"。

另一项研究对机场各种检查的效果和目的提出了质疑。来自哈佛大学（Harvard University）、麻省理工学院（Massachusetts Institute of Technology）和华盛顿大学圣路易斯分校医学院（Washington University School of Medicine in St. Louis）的研究者认为，"目前使用的安检工具"并未通过任何科学测评。他们提出了一个关键而简短的问题："在内衣里藏不下的东西，难道还能藏到鞋子里去么？"他们还指出："尽管在火车和飞机上受到袭击的概率相当，但是在美国航空安全的花费（每位乘客 9 美元）比铁路（每位乘客 0.01 美元）高出一千倍。"他们解释道，这"好比只为左边乳房用乳房 X 线照相术做检查"。说真的，每次坐飞机时在机场看见标志，说什么当天的恐怖袭击指数"高"，我就会问："这个'高'是相对于什么而言的呢？"当然我也不便明说，毕竟，我不想被飞机拒之门外。（翻译　红猪）

寻 找征兆

◎ 科学杂志所能刊登的最准确的星座指南。

我们这些《科学美国人》（*Scientific American*）的编辑记者都是坚定的经验主义者。尽管天文学和占星术在历史上系出同源，但现代占星术却纯属胡说八道（我们这么说，是因为不想在一份家庭杂志上使用比"胡说八道"更严重的字眼）。

话虽如此，我们杂志的几位编辑记者也在琢磨：在我们的杂志上刊登星座指南，会有什么效果呢？

我们现在就来验证一番吧。下列星座指南没有科学根据，因为占星术本身就不可能有科学根据，但描述中倒是充满了科学味。我们在特定星座旁边附上特定的预测，版式仿照报纸或杂志上常见的星座指南。（可耻啊，你们这些号称正统的新闻媒体，居然刊登这种垃圾。）某几条预测可能显得与我们探讨的星座密切相关，但是实际上这些预测的位置可以随意互换，因为关于你出生的真正重要的变数是当时当地的国内生产总值（GDP）。下面我们就来看一看。

水瓶座：

"穿越风暴时，要昂起头颅。"作为歌词倒是漂亮，但作为建议就显得可怕了——如果风暴中带电的话。

双鱼座：

你害怕在冰淇淋中添加的鱼蛋白，虽然这些鱼蛋白让冰淇淋的口感更顺滑。但你本身基本上就是条稍加改进的鱼而已——在解剖学、生理学和基因学上都是如此。因此，吃几粒 Ω-3 脂肪酸片，读一本尼尔·舒宾（Neil Shubin）[1]的《你体内的鱼》（*Your Inner Fish*）吧。随便说说，仅供"鱼乐"。

白羊座：

你想要克隆你的爱犬宾奇，因为你希望宾奇二号会知道，"原版"宾奇在死于犬瘟热之前，把它最后一次从茶几上叼走的皮夹藏到了哪里。这暴露了你既不明白克隆技术，也不了解宾奇把东西藏起来据为己有的天性。

金牛座：

近日，美国普林斯顿大学（Princeton University）的研究者在某太空区

---

1. 尼尔·舒宾，美国进化生物学家，于 2008 年出版了著作《你体内的鱼：35 亿年的人体历程》（*Your Inner Fish: A Journey Through the 3.5-Billion-Year History of the Human Body*），在书中追溯了从海洋生物到陆地生物的进化历程。

域观察一颗超新星（supernova）的形成时，却通过 X 射线探测到了另一颗超新星的形成。这让我想到如下场景：X 射线检查的结果出来了，放射科大夫看过片子之后告诉你，你的胳膊断了两处。

双子座：

基因对行为的影响看来非常强大，强大到你和生来就从未谋面，甚至不知道对方存在的同卵双胞胎弟兄，都花了几乎全部的时间在电视上观看体育运动——而一般美国男人仅仅是花许多时间在电视上观看体育运动。

巨蟹座：

鲎的血液中蕴含的是血蓝蛋白，而非血红蛋白。这种物质将氧和铜相结合，而非与铁结合。因此，这种俗称马蹄蟹的节肢动物体内流动着美丽的浅蓝色血液，而非那种不缠上止血带就会从胳膊的伤口中不断流失的鲜红色黏液。

狮子座：

"一种类似阿尔茨海默病的致命疾病袭击了猎豹的内脏器官，从而妨碍了这种猫科动物在驯养条件下的繁殖行为，这种疾病可能通过粪便传播。"《科学美国人》（Scientific American）网站于 2008 年 5 月 12 日刊登了以上报道。因此请记住一点：从养生的角度看，大腹"便便"者，未老先衰。你说什么？你本来就觉得"猎豹是不可能成功的（Cheetahs never prosper）[2]"？

处女座：

有人反对使用宫颈癌疫苗，因为生怕它会助长淫乱之风。这大致等同于

---

2. 这是迪士尼电影《狮子王》（Lion King）中犀鸟沙祖（Zazu）对辛巴（Simba）说过的话。

反对使用脊髓灰质炎疫苗，因为其可能增加健康人在公共泳池溺死的危险。管他呢，你们都已经注射过了。

天秤座：

好消息是，你将置身于一次法医学调查，调查中使用的技术先进得令你惊叹，这些技术在《犯罪现场调查》（*Crime Scene Investigation*, CSI）[3] 中都曾出现过，如运用脱氧核糖核酸（DNA）扩增等方法，你就能通过最小块的躯体残骸来辨认某人。坏消息也是它，如果你明白我们是在哪里干这活的话。

天蝎座：

如果不是当初早产，你本可以成为射手座，甚至摩羯座的。但影响你人生轨迹的转折点并非早产本身，而是你母亲曾在怀孕期间吞云吐雾的事实。

射手座：

在成为训练有素的宇航员之后，你会踏上漫漫旅途，前往国际空间站修理厕所。

摩羯座：

你以前反对过胚胎干细胞研究，现在勉强支持，因为你意识到，屏幕上的迈克尔·福克斯（Michael J. Fox）[4] 并没有抖动，抖的人是你。（翻译　红猪）

---

3. 《犯罪现场调查》，一部讲述警方如何运用法证科学破案的美国电视剧。
4. 迈克尔·福克斯，加拿大演员，1991 年时患帕金森病。

许愿 要当心

◎ 公众热情高，
　科学有隐患。

　　2009 年 10 月，一篇博文在科学记者圈子里广为流传。美国科学记者拉里·胡斯滕（Larry Husten）在 cardiobrief.org 上探讨了主流报纸以报道棒球赛的热情来报道科学事件可能给社会带来的好处。如果真是那样的话也挺不错的。但作为铁杆运动迷，我很清楚媒体如果这样报道的话可能会产生意想不到的后果。比如，想象一档完全谈论科学话题的广播节目是这样开始的：

　　"大家下午好！今天各位的生命体征（vital signs）[1]都怎么样啊？

---

1. 生命体征，指呼吸、体温、心率等。

这里是由疯子科学家（简称疯科或阿科）和迈克（Mike）主持的量子电动力学（QED）广播，节目在诺贝尔电视网同步直播！迈克，你好吗？"

"不错，疯科，我挺好的。新一期的《自然》（*Nature*）和《科学》（*Science*）已经上市，其中话题挺多，还包括火星漫游车的最新状况。勇气号坏了个轮子，上了报废清单，但美国国家航空航天局（National Aeronautics and Space Administration, NASA）还有些妙招，也许能让它重新投入工作。"

"另外，科学家还公布了马的基因组！希望在贝尔蒙特马赛上能用得着，迈克——"

"可别在这上面下赌注，阿科。你看嘛，他们研究人类基因组序列多久了？10年？不，到2010年有12年了！他们已经知道人类基因组序列这么久了，可还给你和我吃同样的药，根本就没有个性化用药。可他们知道基因组序列都已经这么久了！"

"说得好，迈克，说得太好了。那么我们接通电话听听科学粉丝们都在想些什么吧。来自雷哥公园的莫里斯（Morris）你好，欢迎来到QED。"

"阿科好，迈克好，我期待很久了，但这是我第一次打进电话。"

"莫里斯，今天想说点什么呢？"

"我想建议来一次转会。让美国哈佛大学（Harvard University）用史蒂文·平克（Steven Pinker，美国语言学和心理学家）和诺姆·乔姆斯基（Noam Chomsky，美国语言学家）来交换肖恩·卡罗尔（Sean Carroll）和一个人选待定的博士后怎么样？"

"莫里斯老兄，你说的是哪个肖恩·卡罗尔？加州理工学院（California

Institute of Technology）的那个物理学家还是威斯康星大学麦迪逊分校
（University of Wisconsin-Madison）的那个进化生物学家？你这样直接打电话
过来，连哪个肖恩·卡罗尔都没有说明白，这是不行的。你说是吧，迈克？！"

"这是个问题，阿科，另外还有个更大的问题——诺姆·乔姆斯基不是
哈佛的，他是麻省理工学院（Massachusetts Institute of Technology）的。乔姆
斯基是麻省理工的，平克是哈佛的。他以前是麻省理工的，我是说平克，平
克以前也是麻省理工的，但现在到哈佛了。可乔姆斯基是麻省理工的，他是
麻省理工的。所以两个人根本就不能一起转会，因为乔姆斯基是麻省理工的。"

"你听到了，老莫，打进来之前还得多做点功课，多作点准备。好了，
接听下一位，来自曼哈顿的杰里米（Jeremy）。"［背景响起《阴阳魔界》
（*Twilight Zone*，美国科幻、奇幻剧集）主题曲，杰里米每次打进来都是这
个音乐。］"你好，杰里米。"

"进化论只是一个理论！全球变暖是个骗局！"

"拜拜，杰里米。杰里米的水平已达到刻度量筒底部，不能再低了。接
下来是来自昆斯的小哈尔（Short Hal）。小哈尔，你近来可好？"

"还凑合，阿科，你今天的肝酶水平怎么样？"

"真是个聪明的家伙，小哈尔。小哈尔是个业余肝病学家。小哈尔，你
想说点什么呢？"

"嗯，阿科，我在和朋友谈话，他说现在的研究生使用各种各样的提神
饮料，激浪啦、双倍意式浓咖啡啦什么的。我不知道他们的研究成果要怎么
样和以前那些没用提神饮料的人比较。"

"哈尔，我是迈克。听着，你以为维尔纳·海森堡（Werner Heisenberg）

没有服用大剂量咖啡因？他最好的研究是在……在 20 多岁的时候做出的，对吧？你以为他每晚睡觉都超过两个小时？三个小时？别傻了，他们那时候也有这种东西，可能不是激浪，但他们有办法整晚做研究。我来告诉你他们那时候没有的是什么，没有来自全世界的竞争者在实验室里和他们竞争。今天的年轻人，如果非要比较不可，他们的平均水平可能比那时候还要高。不是说今天最行的人要比那时候的阿尔伯特·爱因斯坦（Albert Einstein）或理查德·费曼（Richard Feynman）行，我是说从平均角度来讲，现代人的平均水平要比过去的人的平均水平要高。"

"迈克，到了原子钟和伯吉斯页岩（Burgess Shale）[2] 同步的时间了，就在贝克曼仪器（Beckman Instruments）[3] 的广告之后。如果你的分析天平不能帮助你在研究中取得突破，那你最好还是买台贝克曼产的。广告之后马上回来。"［诺贝尔电视网的摄像机捕捉到迈克和疯科正翻阅《美国国家科学院院刊》（*Proceedings of the National Academy of Sciences*）和《物理评论快报》（*Physical Review Letters*），背景传出欧文·伯林（Irving Berlin，美国词曲作家）唱的《他就是不搭调》（*He Ain't Got Rhythm*），伴随着"对付科学难题，他总是又帅又强"的唱词，两人的身影逐渐淡出。］（翻译　红猪）

---

2. 伯吉斯页岩，位于加拿大落基山脉的古生物化石群。
3. 贝克曼仪器，美国试验器材制造商。

狗咬狗 的故事

◉ 观察事物本身也是一种科学。

所谓科学，既包括实验科学，也包括历史科学和观察科学。实验科学，比如物理学和化学，容易辨明对错。若想法出错或系统罢工，你只要亲手做个实验。

相比之下，历史科学和观察科学较难驾驭。这些领域里的研究者需要采用约吉·贝拉（Yogi Berra）的姿态——"仅仅通过观察，你便能注意到许多"，接着说明事实。或者如伟大的科学家恩斯特·迈

尔（Ernst Mayr）[1] 在《达尔文对现代观念的影响》[*Darwin's Influence on Modern Thought*，《科学美国人》（*Scientific American*）2000 年 7 月刊]中所解释的："与物理学和化学不同，进化生物学是一门历史科学——进化生物学家试图解释已经发生的事件和过程。研究者们需要构建一个历史叙事，尝试为他们要解释的事件重构特定的历史场景。"

有时，消费者行为学也被认为是一种历史科学或观察科学。1997 年，Quirks.com 网站上的一篇名为《观察研究的七条规则：如何观察人们做事》（ *Seven Rules for Observational Research: How to Watch People Do Stuff* ）的文章中，作者沃尔特·迪基（Walt Dickie）这样描述他的研究："我曾经花了一周时间来观察等待修车的人打瞌睡。我就像是珍妮·古道尔（Jane Goodall）[2]，而他们就像是黑猩猩。"[事实上，大部分"黑猩猩"只希望他们的车能尽快被修好，而很少去"笼子"（休息室）中拿报纸和杂志来消遣。]

历史科学还包括犯罪现场调查、地质学和对棒球比赛得分的解释。所有这些都需要在累积事实后给出叙述。恩斯特曾提到："对于历史叙事的尝试表明，令物理学家查尔斯·珀西·斯诺（C. P. Snow）[3] 深受困扰的一个问题——自然科学和人文科学之间的巨大鸿沟，事实上并不存在。"

因此，我们也可以将新闻学看作半科学来讨论。记者搜集事实，然后给出一种或多种可能的叙述来解释这些事实，各种可能的叙述中有时采用最为简洁的版本。

来看看 2007 年 5 月上旬美联社的一则报道，标题是《与比特犬抗争，

---

1. 恩斯特·迈尔，美国杰出的进化生物学家，被誉为"达尔文的后裔"。
2. 珍妮·古道尔，英国著名动物生态学家，从小痴心于动物，为了观察黑猩猩，她度过了 38 年的野外生活，然后又奔走于世界各地，呼吁人们保护野生动物，保护地球环境。她获得了联合国所颁发的马丁·路德·金反暴力奖，南非前总统曼德拉及前联合国秘书长安南也曾获得此奖。
3. 查尔斯·珀西·斯诺，英国物理学家和小说家。他的著作《两种文化》中对自然科学文化和人文科学文化之间的分歧和对立表示严重的担忧。

小猎狗勇救小孩》（*Tiny Terrier Saved Kids from Pit Bulls*）。故事发生于新西兰的惠灵顿：

"一只名叫乔治（George）的勇敢的小猎狗，从两只凶猛的比特犬口中救下五名儿童。当时，乔治正与一群买好糖果准备回家的孩子一起玩耍。"读到这里，我们可以感受到一只拟人化的勇敢小狗，正与孩子们一起玩耍，"这时，两只比特犬突然朝孩子们奔来。"其中一个孩子（11岁）回忆道："乔治试图保护我们，它对着那两只比特犬大叫，并冲向它们，但是它们却开始咬乔治。"注意，这个孩子已经不仅仅在描述她自己了——她认为乔治的首要目的是为了保护她。至于事件的结果，这个孩子说："我们都哭着跑开了，一些人闻讯赶来并解救了乔治。"

标题和文章共同描绘了一只勇敢的小狗奋力援救小孩的故事，当然，这也许是真的。然而，仅仅根据文中报道的事实，我们可以给出另一个不太一样的解释：比特犬出现并接近孩子们；乔治冲向比特犬；比特犬将注意力转向乔治；孩子们跑开了。换句话说，同样的事实完全可以变成一篇标题为《小狗被袭击，五个小孩被吓跑》（*Five Frightened Kids Flee as Tiny Dog Is Attacked*）的报道。

虽然不如那篇新闻报道感人，但后一种版本可能才是事实的真相。记者有科学地叙述事实的义务，作为读者，我们也有责任去客观地分析所看到的报道，就像自己在进行调查取证一样。只有这样，你才能更加准确地了解真相。（翻译　姬十三）

剃须

未尽 斩草留根

机场安检，是为了确保飞行安全，却把乘客弄得蓬头垢面，连胡子也刮不成。

　　"'奇怪，真是越来越奇怪！'爱丽丝大叫。她一时受惊，竟有些语无伦次，'我现在简直成了台望远镜，还是最大号的！唉，我可怜的脚，再见了！也不知道有谁来给你们套上鞋袜？'"反正不会是美国运输安全管理局（Transportation Security Administration）的那帮人，他们每天只负责让机场的200万名旅客脱鞋。

如果刘易斯·卡罗尔（Lewis Carroll）[1] 笔下的爱丽丝在感恩节后的周日，与我一同身处美国佛蒙特州的伯灵顿机场，目睹美国运输安全管理局官员没收我父亲须后水的情形，她肯定也难以置信。须后水瓶子的容量为 3.25 盎司[2]，这显然超过了 3 盎司的液体限令。但问题是，瓶里的液体只剩下四分之一，远远低于规定的"3 盎司"。即便是来自穷乡僻壤、没有受过系统的数学教育的人也不难看出这一点。然而，美国运输安全管理局的人还是没收了须后水，说什么职责所在，包装上的容积超出限额，就得没收。

我越想越奇怪，于是做了个思维实验：假如瓶子空空如也，还会被没收吗？我想一定不会。瓶子不装水，就成了块塑料，徒有一个几何结构。如果真要禁止所有容积大于 3 盎司的物体，那么我的鞋也该上交。同理，我的双手也上不了飞机。当然，我归心似箭，还是沉默为妙。否则，被关进安检办公室，慢慢解释什么是"思维实验"可不是闹着玩的。

第一次对"安全错觉"现象作出评论，也是在"反重力思考"专栏。那是 2003 年 7 月，我出席了一个关于自由与隐私的会议，会上听到一个飞行员的故事，他的指甲刀在登机前被美国运输安全管理局没收，所以只好带了把斧子进驾驶舱。（用斧子剪指甲未免骇人，但话说回来，我父亲也许有兴趣尝试。他在海军陆战队服过役还当过建筑工人，能用 1 英尺[3] 长的木工锉和 80 目[4] 的砂纸修剪指甲。这下明白我为什么长成这副熊样了吧！）

过去，剃须膏是可以带上飞机的，剃须刀必须上交。现在呢？剃须刀能上飞机，剃须膏又受到限制。（感恩节前的周一，我父亲的剃须膏就在劳德代尔堡机场被没收。）

---

1. 刘易斯·卡罗尔，真名叫查尔斯·勒特威奇·道奇森（Charles Lutwidge Dodgson），童话《爱丽丝梦游仙境》（Alice's Adventure in Wonderland）的作者。
2. 1 盎司约等于 0.028 千克。
3. 1 英尺约等于 0.305 米。
4. 目，原料颗粒尺寸单位，一般以颗粒的最大长度来表示。80 目对应的颗粒最大长度约为 180 微米。

最奇怪的还是这几百名乘客，在所谓"恐怖袭击的威胁很大"的声明中，居然乖乖地呆在安保线内，排成蜿蜒的长龙。威胁很大？和什么相比？大概是昨天吧，那个时候恐怖分子对我们的威胁远比死在浴缸中的概率小得多得多。如今，他们的威胁还是比死在浴缸中的概率小得多。机场照常开放，你要坐的航班也还没被取消，这足以证明恐怖分子的威胁其实不大。

2008年11月，《大西洋月刊》（ The Atlantic ）刊登了杰弗里·戈德堡（ Jeffrey Goldberg ）的文章《安全剧场》（ Security Theater ），其中可以找到远比"安全错觉"恰当得多的措辞。戈德堡认为，机场的安检程序不过是让美国运输安全管理局的官员及乘客安心，实际效果不过尔尔。他自称曾把小刀和大号裁纸刀带上飞机，甚至还将一个被称为"啤酒肚"（ Beerbelly ）的装置混过安检。此装置为一囊状物，可装80盎司液体，通过吸管即可饮用。

戈德堡没把那玩意装满，但肯定超出3盎司的限额，达到21盎司之多。他认为，机场的安检程序或许能揪出恐怖分子当中的笨蛋。但现在的情况是，要抓住他们中的聪明人，最好是把时间、精力和金钱花在情报搜集上；还有就是，让我父亲把胡子刮干净。（翻译　红猪）

苹果 与奶酪

◎ 一个作家暂停写作的一周。

　　2007 年 10 月初，我在威斯康星大学麦迪逊分校（University of Wisconsin-Madison）任驻校科学作家。这可比平时按部就班的写作生活好多了，因为事实上我根本不需要写任何东西。于是，我得以补充自己枯竭的文学储备（要知道我的大脑已经一片荒芜，就像单身汉的冰箱），让"鼠标手"得到缓解，不去管那些复杂的词汇。我拒绝写

任何东西。

在威斯康星，我还参观了大学里的奶制品研究中心，毕竟，这才是威斯康星的象征[1]。我在就职演讲时大口吃着这里的奶酪凝乳（奶酪在制作过程中第一次凝结形成的东西），就像广告里说的那样，如果非常新鲜，咀嚼时它会发出吱吱声，这是由于其中含有柔软而有弹性的蛋白质。不过几个小时后，它不再新鲜，就不会发出声音了。

当然这一周的时间不仅仅是用来吃奶酪和休息。事实上，我的"鼠标手"虽然得到了缓解，喉咙却越来越痛，因为我要不停地说话。我采访了一些科学家，和他们聊起工作中的秘密，也与新闻系学生、新闻工作者、科学家和那些退了休的人分享了我工作中的秘密。退休的人特别喜欢听我讲那些快被我遗忘了的在广播电台的工作经历。那是在上世纪 80 年代，那时对音频的剪辑不是通过复杂的智能软件来实现，而是用剃须刀片。声音先被录在"磁带"（至少当时是这么称呼的）上，然后用刀片进行裁剪后再粘在一起。对于我的讲述，年轻的学生非常惊讶，于是我接着讲我们会搜集裁剪磁带剩下的边角料，组装成一个单引擎的燃气箱，就是 1989 年查尔斯·林德伯格（Charles Lindbergh）[2]第一次飞上月球时所用的那个。

再回到奶酪问题上，奶酪总是与苹果联系在一起，这也许就是奶酪研究大厦不远处就有一棵"牛顿苹果树"[3]的原因吧。树上有块牌子写着："激发牛顿灵感，并使他最终发现万有引力定律的那棵苹果树的嫡系子孙。"于是，牛顿可以阐述地球与月球之间的运动，而不用理会林德伯格所发现的"奶酪"[4]是由哪些原料做成的。

---

1. 威斯康星州被称为"奶制品之州"，该州出产的奶酪尤为出名。
2. 查尔斯·林德伯格，美国传奇飞行员，曾于 1927 年成功地一人不间断地穿越大西洋，1974 年去世。这里作者故意编了些故事来逗那些青年学生，事实上人类首次登月是 1969 年，登上月球的第一人是尼尔·阿姆斯特朗（Neil Armstrong）。
3. 威斯康星大学麦迪逊分校校内有一棵"牛顿苹果树"。
4. 在西方童话及一些科幻小说中，月球被想象成是由奶酪做成的。

　　说到月球，我告诉学校里的一些天文学家，《科学美国人》（*Scientific American*）正试图使自己的文章能面向更多的读者，因为甚至连一些很专业的科学家都抱怨非本领域的文章技术性太强、难以读懂。此后，我从一位天文学名誉退休教授那里得知，他确实听到过此类抱怨，而且是出自大名鼎鼎的科学家罗伯特·奥本海默（J. Robert Oppenheimer）[5]之口。

　　这周另一个有意思的事情，是与一些科学家探讨了关于采访与被采访的话题。我是采访者的代表，他们则想知道如何接受采访。这也许对每个人来说都很有吸引力，因为我们生活在这样一个时代：任何人都有可能被突然抛到媒体的聚光灯下，一些人费尽心思想登上《时代》（*Time*）封面，另一些人却可能不费吹灰之力。（一夜成名并不一定是好事，如果你只是个普通人，却登上了全国性周刊的封面，那么很有可能死期将至，同时，还会有一场激烈的争论来探讨这究竟是谁的责任。）

　　这些潜在的被采访者问得最多的一个问题是，如何在现场直播的电台或电视采访中让自己不紧张。我紧张地告诉他们只要牢记自己是客人就可以了。没错，你很了解利用手性催化剂来生成对映体过量的多环产物，以改造生成环状化合物的反应，并认为它非常精彩。但是你不必觉得让整个采访维持一个轻松、愉悦的气氛是你的责任，那是主持人的工作。你只要回答问题，完了就停下，等待主持人将谈话进行下去。就像初次见面约会一样，你要做聪明的那一个。（翻译　姬十三）

---

5. 罗伯特·奥本海默，美国著名物理学家，被称为"原子弹之父"。

月球 为什么不是由奶酪组成？

◎ 不用奶酪，石头就好。

肖恩·卡罗尔（Sean M. Carroll）说话从不兜圈子。2011年10月17日那天，当他严肃地探讨"月球是由'绿色奶酪'（green cheese）[1]组成的"这一理论时，他也不是在玩文字游戏。在这里要澄清一下："严肃"指的是他探讨时的样子，不是这个理论。他是在亚利桑那州的

---

1. 绿色奶酪，实际上是指一种新鲜奶酪，通常是白色且呈圆形。"月球是由'绿色奶酪'组成的"是指圆形的新鲜奶酪很像满月。人们常会误解这句话的意思，以为它是指月球是绿色的。

弗拉格斯塔夫举行的 2011 年科普作家大会上说这番话的。

这位肖恩·卡罗尔是著名的理论物理学家，不要和那位著名的演化生物学家肖恩·卡罗尔（Sean B. Carroll）混为一谈。这一肖恩·卡罗尔的两重性，或许是这位物理学家卡罗尔常常思索多重宇宙的原因之一。

他是加州理工学院（California Institute of Technology）的高级助理研究员，是《从永恒到这里》（*From Eternity to Here*）的作者，他还为一本你有时能在报摊上发现的《发现》（*Discover*）撰写博文。"你怎么知道，月球不是由奶酪组成的呢？"他对着下面的听众发问，"有人会说：'嗯，因为我们曾经在月球上登陆，我们捡了几块月球的碎片，还带回来了。'"看来，这么说的人或许认为，直到 1969 年还有许多人对月球的奶酪本质抱有疑问吧。

"可那只是表面，"卡罗尔的争辩奶酪味十足，"当然了，在的奶酪上方有一层几米厚的月尘。那么你又怎么知道，月球的大部分、它的 99%，其实不是由奶酪组成的呢？有人会说：'好吧，我们知道月球的体积和密度，以此推算。'但你可不要以为自己已经吃透了这块月亮奶酪的属性，那可是一块密度很大的奶酪。"

说到这里，这位物理学家又一次提出了那个"奶酪式"的唬人问题："你怎么知道，它不是由奶酪组成的呢？"接着他快刀斩乱麻："因为，'月球由奶酪组成'是一个荒唐的想法。"［如果你希望用公式来表达，不妨仔细想想这个：一块半径为 z、高度为 a 的圆柱形意大利白干酪，其体积为 pizza（pi 即 π）。］

卡罗尔让自己的推理发散开去："如果要用正式的语言表达这种荒谬性，那我们在判断一个假说是否可信时，可以参考关于宇宙的其他现有知识。月球之所以不是由奶酪组成，并不是因为我们都去过、并带回了碎片，而是因

为奶酪这东西，说到底是来自母牛、母绵羊或者母山羊。"

哦，可如果有头母牛蹦到了月球上呢？坦白地说，依我看，要说一头母牛在没有强大的多级火箭的帮助下就达到逃逸速度，那实在有些牵强。我还觉得，卡罗尔那个关于荒谬逻辑在这里也派得上用场。

"奶酪这东西，"卡罗尔接着说，"不是原始太阳系的一部分。对于太阳系如何运行、行星如何形成的问题，现有的理论已经可以作解释，这就排除了月球由奶酪组成的可能。这就像我们知道人不可能用思维弄弯勺子，并不是因为我们在《今夜秀》（*The Tonight Show*）里抓到有人作假，而是因为这违背了物理定律。同样，月球由奶酪组成的说法，也违背了太阳系的运行原理。"我还要在卡罗尔的基础上补充一点：我主张，无论何种颜色的奶酪，都是不可能是月球的组成成分。

"月球不是由奶酪组成的，"卡罗尔继续唠叨奶酪的问题，"这句话不能像逻辑推理或数学定理那样给出证明，但科学还是可以根据'一个陈述和现有理论的融洽程度'来判定这个陈述的真伪。"

尽管我们已经有了一些稳固而强大的理论架构，可有些人还是会坚持一种满身是洞的奶酪认识论，主张只有宇航员带回的样本才是最终的判定标准；甚至会有人认为，只有搞到了月球核心的样本，我们才能对是不是奶酪的问题下结论。这些人的脑瓜才真是变成奶酪了。（翻译　红猪）

生命

奇迹

◉ **上得台面又挥之不去的种种事物。**

　　来来来，试试奇多[1]味的润唇膏。没错，市面上已经能买到加了淡淡奇多味的润唇膏了。不知怎的，我是最近才从无知的幸福中惊醒，发现原来科学家早在 2005 年就已经排除万难，创造出了这个小小的奇迹。我又琢磨了一下芝士泡芙味的润唇膏，接着便思潮如泉涌，追忆起那时从未读过普鲁斯特（Proust）的作品。我在想：当普鲁斯特从油腻腻的塑料袋里掐出一卷吱嘎作响的人造奶酪放进嘴里品尝，脏兮兮的碎屑在他的拇指和食指染上一抹令人作呕的人造橘黄时，他的脑海中又会唤起何种神奇的回忆呢？但这个念头没持续多久，因为我又匆忙想起了别的事。那些事，亲爱的读者们，请你们

---

1. 奇多，一个奶酪卷品牌。

也跟着我一起想想吧。

以下是我刚刚了解到的另外一件事：2007 年的一项民意调查显示，平均而言，受访者对美国国家航空航天局（NASA） 资金的估计是联邦预算的 24%。修理坏掉的太空马桶确实代价不菲，但还没贵到这种地步：实际上近几年 NASA 每年得到的拨款是 180 亿美元，还不到联邦预算的 1%。根据贝拉克·奥巴马（Barack Obama）总统在 2010 年 2 月初宣布的预算草案，NASA 以后每年还能额外获取 10 亿美元的拨款。不过这笔钱将用于科学研究和机器人任务，而不是将人类送回月球寻找艾伦·谢泼德（Alan B. Shepard）[2] 留下的高尔夫球（那里实际上有两颗球：当时第一杆打偏，他史无前例地在月球表面挥出了第二杆）。

再来琢磨琢磨这件事：善待动物组织（PETA）称，牢笼生活使土拨鼠压力太大，因此在土拨鼠日[3] 的庆典时就不要再折腾它们了。美国得克萨斯理工大学（Texas Tech University）的气象学家凯瑟琳·海霍（Katherine Hayhoe）在接受博客作者鲁斯蒂·普里查德（Rusty Pritchard）采访时说，人类中的"气象学家也常常承受压力，因为他们的一切，从智力到品格，都三天两头受人攻击"。

有个念头着实让我恼火：有人告诉我说，人类胚胎干细胞是不好的，因为它们都是从流产胚胎或体外受精剩余的胚胎中提取的。利用这些细胞开展可能救命的研究在道德上是错的，因为尽管上述胚胎只有几个或一个细胞，但它毕竟有可能长成人类。在有些人的头脑里，它已经是人类了。从另一个完全孕育成熟的角度来说，所谓的"诱导性多能干细胞"（iPSC）据说就是好的，因为它和胚胎没关系。实际上 iPSC 原本是种组织特异性成体细胞，经特殊处理后倒退成了多能干细胞，能转化成体内的任何一种细胞。理论

---

2. 艾伦·谢泼德，美国宇航员，曾随阿波罗 14 号登月。
3. 土拨鼠日，美国及加拿大节日，时间为每年 2 月 2 日，民众根据土拨鼠在这一天的行动确定是否入春。

上说，它能够被植入友善的子宫，并成长为人类。哎呀，那可是克隆呢，是彻头彻尾的邪恶——但毫无疑问它确实是人。那么我就不明白了：反对在研究中使用胚胎干细胞的人，为什么就不反对 iPSC 呢？是因为要支持邪恶的克隆事业吗？

顺便说一下，美国不孕不育诊所的冰箱里可都装满了这样的剩余胚胎。有人觉得它们全是人类，应该享有人类的一切权利和优待。那么有这样一个假想实验：一家诊所的冰箱里坐着一个发育成熟的"婴儿型人类成员"（说这么复杂是为了避开谁是人类、何谓婴儿这样的问题），此时诊所起火。那么这时候你该救谁？是救哇哇大哭的婴儿，还是尽可能多救几个冰冻胚胎？（提示：如果置婴儿于不顾，你在这个假想实验中就不会受到消防站邀请，去吃意大利面条了。）

行了，再来看看这个吧：2010 年 1 月，史上首部完全由黑猩猩拍摄的电影在英国上映。此创意来自于一位灵长类动物学专业的博士研究生，他还为爱丁堡动物园的这些黑猩猩提供了摄像机。内部消息称，为此剧出力不出名的威廉·戈德曼（William Goldman）[4] 被叫去修改剧本。继首轮拍摄在毛发和化妆上严重超支后，温斯顿影业公司及时出手，填补了资金黑洞。

最后说一件着实重要的事：加了蔗糖的可乐比加了玉米糖浆的可乐更加美味。因此，那天读到一篇关于"可口可乐公司现在使用甘蔗"的报道，我自然而然地欢欣鼓舞起来——后来却了解到甘蔗不是用来做可乐，而是处理后用来做瓶子的。看到这个，我的眼中顿时涌出了阿斯巴甜（aspartame）[5] 的泪水。没错，新工艺会少用许多石油，因此是件好事。但要是能在这些糖瓶子里再加些糖水就好上加好了。毕竟，这可是配奇多的最佳饮品啊。（翻译 红猪）

---

4. 威廉·戈德曼，美国编剧，曾两获奥斯卡奖。
5. 阿斯巴甜，也称天冬苯丙二肽酯，一种甜味剂，比甘蔗甜 150～200 倍。

最胖 幻想

◎ 计算卡路里，
大脑比腰不靠谱。

犹太文学中的许多故事都提到了神秘的愚人村齐尔姆（Chelm）。可以这么描绘村里的居民们：从犹太学校里率先毕业的，一定不会是他们。有一个故事是这样讲的：有一群糊涂的木匠无论如何也闹不明白，为什么一块木板不管锯掉多少都还不够长呢？呜呼！

最近的一项研究显示，在进食这一问题上，许多人都可以当之无愧地成为齐尔姆村的荣誉村民。亚历山大·切尔内夫（Alexander Chernev）就发现，许多人都觉得可以用一种绝妙的方法减少一餐中的卡路里含量，那就是多吃！呜呼！

切尔内夫在美国西北大学凯洛格商学院（Northwestern University's Kellogg School of Management）研究消费者行为。他不是麦当劳店长，却在汉堡上花了大把时间。最近他在《消费者心理学杂志》（*Journal of Consumer Psychology*）上撰文，剖析了健康食品的"光环效应"。好多人认为，健康食品的"健康性"会延伸到一餐中的其他食物中去。蔬菜和水果，光环很大；天使蛋糕，没有光环。想想看吧。

这种荒唐的推理是把微积分应用到了餐桌上。对这些人而言，一种食物的健康性和它是否"增重"有关。切尔内夫写道："在许多人看来，健康的食品就是不易增加体重的食品，因而他们错误地认为，在一餐中多加入一种健康食品，就能够抑制体重的增加。"这多少有点"多吃就是少吃"的意思。

研究中，切尔内夫让900多名受试者观看四种不同的食物，并估算其中的卡路里含量。这些食物包括一个汉堡、一个培根芝士夹心华夫饼、一块辣椒牛肉和一块肉丸香肠芝士牛排，它们中没有一样食物能获得美国心脏学会（American Heart Association）的青睐，但每一样听起来都相当诱人。

（突然想起冰箱里还有块剩比萨。去去就回。）

刚才说到哪里了？哦，对了，不健康食品，太不健康了。试验人员还给半数受试者看了几道明显有益健康的配菜，比如三根芹菜什么的。谁会真的想要三根芹菜呢？哦，对了，三根芹菜可以组成一个字母"A"，这样海斯特·白兰（Hester Prynne）[1]就可以在氪星[2]上把它戴在胸前，或者是让海象拿三根芹菜指挥乐队，令观众印象深刻。那什么，吃着吃着就扯远了。

---

1. 海斯特·白兰，小说《红字》（*The Scarlet Letter*）中的人物，因未婚生子而被迫佩戴代表通奸的红色字母"A"。
2. 氪星是美国动画片《超人》（*Superman*）中主角的故乡，超人胸前有一个字母"S"的标志。

试验中，仅看到主菜的受试者估计食物中平均含有 691 卡路里的热量。而同时看到主菜和那几根充门面的芹菜或其他健康食品的受试者却估计食物中所含的热量为 648 卡路里。也就是说，加上一道菜，热量反而少了 43 卡路里。这样一来，想象力丰富的受试者完全可以在芹菜之外再加块曲奇，这样就能让整顿大餐的卡路里又"恢复"到只有一个汉堡的水平。

美国康奈尔大学（Cornell University）的布赖恩·万辛克（Brian Wansink）是研究进食行为的权威，他在 2010 年 10 月的消费者研究协会年会上作了一个报告，分析了这种荒唐的推理。他发现，那些去号称"健康"的餐馆吃饭的人，对自己所吃食物的卡路里含量的估计，只有实际数字的 56%。这些人在犯下这个大错之后，还会想当然地认为，既然已经吃了低热量的食物，再多吃点不健康食物也没有关系，比如炸薯条或者曲奇什么的。但这种思维只会让你的屁股越来越圆。

再说回到切尔内夫。他还有个真正邪恶的发现，称为"节食者悖论"：越是信奉多吃"好"食物能抵消"坏"食物的影响这一理念的人，就越是担心体重增加。平均而言，那些最担心自己体重的人认为，汉堡搭配蔬菜比单吃汉堡少摄入 96 卡路里热量。不怎么担心动物性脂肪的人也会被光环引发的悖论迷惑，不过他们认为蔬菜只能减少 26 卡路里热量。

对于那些倡导公共健康的人来说，这条信息可供打包外带：光是鼓吹健康食品，可能让人们摄入的热量不降反升。有道是：一天一苹果，脂肪不会少。（翻译　红猪）

有啤酒
的美好世界

◎ 关于麦芽和啤酒花科学的讨论。

2007年2月下旬，为了能喝到免费的啤酒，我参加了一场由纽约科学协会（New York Academy of Sciences）举办的讲座，演讲者为著名的啤酒行家查利·班福思（Charlie Bamforth）。用成熟稳重来形容这个英国男人再合适不过。在他的腰带之下[1]，是30年的酿酒技术；而腰带之上的，则是他所坚称的"香肠肚，而非啤酒肚"。

"啤酒是现代定居文明的基

---

1. 英文原文是 under one's belt，英文惯用语，有"掌握"之意。

础，"班福思，这位由安海斯－布希公司（Anheuser-Busch）资助的美国加利福尼亚大学戴维斯分校（University of California, Davis）酿造学教授开始了演讲，"在啤酒发明之前，人们总赶着羊群，四处迁移。后来他们意识到这些谷物（大麦）可以播种、发芽、做成面包，也可以酿造口感甚佳并让身体感觉温暖、舒适的液体。于是赶着羊群四处迁移的日子一去不返了。人们安定下来，播种谷物，酿造美酒，并将一顶顶帐篷扩展成村庄，村庄扩展成城镇，城镇又扩展成城市。于是现在我们有了纽约，这都得感谢啤酒。"班福思用三段论法结束了自己的演讲："喝酒的人睡得香，睡得香的人不会犯罪，不犯罪的人就可以去天堂。这个逻辑无懈可击。"

在演讲中，班福思不断地赞誉这种被他称为"世界上最美味的饮料"的金牌品质，顺便还贬低了另一种广受人们欢迎的酒精饮料。在解释简单的发酵化学方程式，即一个糖分子转变为两个分子的乙醇和两个分子的二氧化碳（还有一部分能量）时，班福思解释说："如果糖来源于葡萄，你就可以酿造一种被称为葡萄酒的美味饮料。如果糖来自谷物，酿造出的就是更美味的饮料——啤酒。"

班福思谴责了啤酒有时所扮演的冒险形象："啤酒被认为是坏男孩的饮料，它的营销方式也过于稀奇古怪，比如一些臭名昭著的广告。同时葡萄酒却被视为有档次的标志，象征着高质量的生活。事实并非如此。啤酒的品性更好，在酿造时被倾注了更多的热情与细心，至少是健康的。"我加一句，做啤酒不会用脚[2]。

但是，麦酒[3]如果变质，就会散发出比臭脚更加难闻的异味：只有用彩色瓶装盛，或聘用有才能的化学家，才能使啤酒远离"中暑"。光线可以使

---

2. 在酿造葡萄酒时，有时需要用脚来将葡萄踩碎。

3. 麦酒，指没有加入啤酒花的啤酒，酒精度比淡啤酒高，味道比较浓。

啤酒中的某些苦酸（bitter acid）转变成可怕的二硫氰基甲烷（MBT），它与加拿大臭鼬（斑纹臭鼬）释放的恶臭无比的硫醇是近亲。班福思在他的《啤酒：融入艺术与科学的酿造》（*Beer: Tap into the Art and Science of Brewing*，牛津大学出版社，2003）一书中写道，甚至在 MBT 的浓度低至万亿分之 0.4 时，有人就可以闻到异味。"这些可怜的家伙，"他写道，"不知能否闻出散布在齐柏林 II 型飞艇气囊中最多 0.1 克的 MBT。"这就是人类！

酿酒专家有最中意的啤酒吗？"这取决于我在哪里，"班福思解释道，"如果我在一个破旧的酒馆，站起来可以碰得到天花板，一旁还有熊熊燃烧的柴火，那么我会首选来自英格兰的桶装麦酒，而不是美式的淡啤酒[4]。如果我是在沙加缅度河猫队（Sacramento River Cats）[5] 棒球比赛现场，室外有将近 38℃，我会为一杯百威啤酒（Budweiser）而疯狂，而不会去喝健力士（Guinness）[6]。什么样的跑道要押什么样的马。"只要这些马没有喝醉就行。

在回应啤酒里只有"空卡路里"[7]，会导致啤酒肚的说法时，班福思指出，实际上啤酒富含 B 族维生素，不过不含维生素 B1。他回忆说："一位名医曾经问我，'如果提高啤酒中 B1 的含量，啤酒是否会彻底成为一种膳食？'我当时回答道，'连我都不会同意这种观点，你还需要吃一些脆饼干。'"（翻译　姬十三）

---

4. 淡啤酒，酒精度比麦酒低。两者间的区别一是所用酵母不同，二是发酵温度不同。

5. 沙加缅度河猫队，美国加利福尼亚州著名棒球队，太平洋岸联盟成员 3A 级球队。

6. 健力士，一种用麦芽及啤酒花酿制的爱尔兰黑啤酒，泡沫持久，口感油滑，微苦带甘，余味较长。

7. 空卡路里，指食物的热量来源多为较单一的糖类、蛋白质或脂肪，缺少维生素和矿物质，无营养价值。

有画 为证

◎ 让酒会与文化融合是
一门艺术。

就像美国国家运输安全委员会（National Transportation Safety Board）的调查员分析坠机案一样，我正试图找出发生在密尔沃基[1]艺术博物馆（Milwaukee Art Museum）不幸事件的肇因。回想一下，在艺术馆里搞自助酒会，一开始就不是什么好主意。

更成问题的是，该酒会竟被冠名为"马提尼节"——30美

---

1. 密尔沃基，美国威斯康星州东南部港口城市，啤酒制造业相当发达。

元无限畅饮马提尼酒[2]。再有，按《密尔沃基哨兵报》（*Milwaukee Journal Sentinel*）的说法，酒会提供的马提尼酒居然含有伏特加和其他"混合酒"的成分，这样的配方也是莫名其妙的。行家们总自以为能触类旁通，这次可闹了个经典的笑话——密尔沃基人，虽然你们对啤酒很在行，但当准备其他酒的时候去咨询一下专家，这并没什么丢人的。

此外，作为酒会的主办方，清晰频道传媒公司（Clear Channel）固然是广播、广告、音乐会推广等领域的巨头，可筹办艺术馆活动，他们只能算是个门外汉。最终，他们将 1,900 人塞进了仅能容纳 1,400 人的会场，且看来自《密尔沃基哨兵报》的简述："人们吐的吐，晕的晕，口角争执，推搡受伤，有人甚至爬上雕塑。"这是组织不力，还是后现代主义的低俗闹剧？

所幸，饱受摧残的是些坚固的雕塑品。但为了给其他也想策划豪饮活动的艺术馆提点建议，我联系了珍妮弗·马斯（Jennifer Mass），一位在特拉华州温特图尔博物馆花园（Winterthur Museum & Country Estate）工作的资深化学家，一起探讨醉酒狂欢对馆内的艺术品（如油画）可能造成的损害。

来看看威胁最大的三类物质。第一位是乙醇，也就是食用酒精。"油画通常得用三萜树脂作上光处理，"马斯解释道，"而乙醇恰恰是它的强效溶剂。所以艺术馆酒会实在是个坏主意——当一场聚会用了酒精饮料，油画难免被沾上液滴。要是你看到油画的光油层附着了某种霜状的晶体，光油层其实已经在溶解了。"

开胃菜也有隐患，想想那些溅得到处都是的肉类和奶酪。"食品中含有的一些物质，如蛋白质和糖类，油画里也有，"马斯说，"于是清洗就变成了一个严重的问题，因为可以去除食物印渍的溶剂也会损害画作本身。"

---

2. 马提尼酒，一种由杜松子酒或伏特加酒和苦艾酒混合而成的鸡尾酒，一般不用其他酒调制。

酸性物质则成为最严峻的考验。这种情况发生在——说得文雅些——遭遇体液外泄时。"人体内胃酸的 pH 值本来就低，再掺入消化酶，再掺入酒精，"马斯指出，"这会对艺术品造成极大的破坏。用酶来'清洁'艺术品！想想看，这是多么具有杀伤力的混合液。"

啊哈，既然无论如何油画都需要清洗，淋上呕吐物是不是也没有关系？"胃里有太多其他未知物质，"马斯推想，"你的呕吐物可能会透过光油层直接伤到画作，所以我觉得这是不行的。"最起码，不要让你的珍贵画作被令人作呕的东西覆盖。

那么在艺术馆举办这种又吃又喝的聚会时，人该离展品多远？"当提供食品饮料时，我们倾向于让人们远离那些放有真品的展室，"马斯说，"多美好的想法呀！此外如果展品太大不好移动，就得用绳子进行隔离。"毕竟，这可比淋到秽物强多了。（翻译　姬十三）

致命的 娱乐

◎ 在科学的推动下，现在或许是小屏幕的黄金时代。

　　生活在 21 世纪的一大好处是有了新的电视技术。我小时候那阵，如果童子军集会时间正好和《摩登原始人》（*The Flintstones*）的播放时间冲突，那就看不到《摩登原始人》了。当然，那样的日子早已一去不返。现在就算错过什么电视节目，也可以在日后从容地购买数字多功能光盘（DVD）观看，也可以通过一些视频网站，或者各种违反多项国际著作权法的途径观看。

我就利用了这些新手段，看了两部科学味浓厚的佳作，一部是《双面法医》（*Dexter*），另一部是《绝命毒师》（*Breaking Bad*）。各位读者如果有不熟悉这两部电视剧的，在看过下面的内容后可能会跃跃欲试；如果有一集不落地看的，那也千万不要发送任何剧透信息给我！

《双面法医》的角色之一是迈阿密市立警察局的首席法医、科学家文森特·马苏卡（Vincent Masuka）。[跟这部电视剧同名的角色德克斯特（Dexter）是个能力相对较低的法医工作者，主要从事血迹鉴定。] 马苏卡是位全才，对所有重要的法医学技术了如指掌，却得不到办案警察的尊重。

我现在看到这部电视剧第三季的前几集，剧中的马苏卡一边履行常规的工作职责，一边在《法医学季刊》（*Forensics Quarterly*）上独力撰写论文，推动整个法医学领域的进步。他的论文质量极高，稿子一经投出立即被录用、马上发表。我想不出还有哪个电视剧里的科学家能有这个能耐。

论文发表后，马苏卡复印了几份给警察局的同事看，但他们根本看都不看。他甚至在垃圾桶里发现了一份复印稿，显然是被哪个不识好歹的同事扔在那里的。马苏卡因为这篇论文受邀在一次法医学会议上作主题演讲。他为局里的每个警察和其他共事者都搞到了门票，结果连他的下属德克斯特都不愿意捧场。

说到这里我得插几句了：我去听过许多科学会议中的讲座，有一场还是由当时在任的美国总统主讲，而这些讲座没有一场是需要门票的。马苏卡不仅送门票给同事，还随票附赠甜甜圈一个，但大家依然不为所动（尽管美国警察与甜甜圈的关系那么紧密）。他的论文和主题演讲终将被人遗忘。

马苏卡遭遇的怠慢在剧本本身也有所体现，因为他实际出场的时间比德克斯特少得多；而后者在法医之外（剧透，请注意）还是个变态连环杀手！

就这样，主创人员把以马苏卡为代表的科学家巧妙地塑造成了一位现代愚公，他不知疲倦地辛勤劳作，为的是在一个充斥暴力和混沌的世界中推动文明进步。真是好样的！

《绝命毒师》讲的是中学化学老师沃尔特·怀特（Walter White）的冒险故事。我虽然才看了三集，但是已经看出它要教导大家慎用化学品的意图。

剧中，怀特吩咐一位莽撞的同事去购置一个特殊材质的塑料桶，只有这种桶才能安全地盛放氢氟酸。可是这位小弟无视他的指导，把两大罐氢氟酸直接倒进了浴缸。（浴缸里躺着怀特杀掉的毒贩子，他和小弟正准备把尸体溶解掉。不过先不去管这个。）强酸溶解掉了大部分的尸体，也溶解掉了浴缸本身以及地板。当溶解剩下的东西坠落到楼下那一层时，剩余的酸便又开始腐蚀那一层的地板。我倒是想看看像文森特·马苏卡这样的法医学大师会怎么破解这个现场！

事实上，氢氟酸是一种腐蚀性极强、危险性极大的物质。回想大学时上化学课，我们这些学生可以随意使用盐酸甚至硫酸，但对于氢氟酸却是连容器都不让我们碰的。实在需要的时候，才由实验室的指导老师穿上特殊的防护服，在通风橱里倒出宝贵的几毫升给我们。

《绝命毒师》就这样将我带回了幸福的大学时光，让我重拾了实践出真知的快乐。我已经迫不及待地要看下一集了！感谢现代电视技术，免去我等待之苦。（翻译　红猪）

啊

硫醇
我的硫醇

 有些气味属于外面，
却不会永远呆在外面。

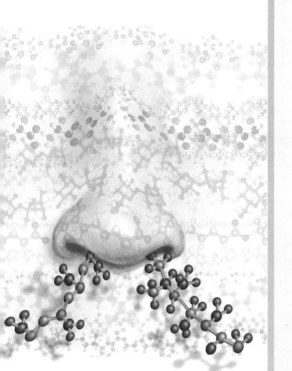

　　2011 年 2 月 25 日，星期五，这是一个臭不可当的倒霉日子，至少对我家而言。

　　刚刚开始下雨时，一切都显得相当美好。我躲在舒适的家中，身上又暖又干燥。然而，温馨的气氛转瞬即逝，我先是听到几声"咕噜咕噜"，接着就闻到一阵微弱的臭味。本该从厕所里出去的东西又进到厕所里来了，那是未经处理的污水，它违背自然，倒行逆施，一路杀回了我的屋子！

气味越来越浓。人类的排泄物中含有一些神奇而芬芳的有机化合物，粪臭素（skatole，即 3－甲基吲哚）就是其中之一。（拜托！）

粪臭素对大便那"呸呸呸"的臭味负有重大责任。但是请记住那条公理：是药三分毒。根据维基百科，低浓度的粪臭素"散发着花一般的香气，在几种花朵和精油中都能找到"。具体的例子有香橙花和茉莉花。这种物质甚至在香水的制造中也得到了应用——当然也是极少量的。下次在耳朵后面洒香水时请记住这个事实。维基百科上还提了一点：烟草商在烟丝中加入粪臭素以作为调味料（"当当当当"！），戒烟又多了个理由。除了粪臭素之外，排泄物中还含有多种臭气扑鼻的含硫化合物，这些含硫化合物统称为硫醇，它们可不是你的朋友。

当家中的下水道发生倒灌，最好的做法就是什么都不做，赶紧把管道工找来才是正事。火速赶到的管道工去掉防臭瓣、打开管道，这个措施将倒灌的流质排泄物导入了地下二层。（虽然也很糟糕，但比原来已经有了明显改善。）接着，他将摄像头伸进管道以确定故障性质，这就和结肠镜检查差不多。

原来是连接我屋子和市政下水管的黏土管道发生了断裂，平日里略微下斜的管线现在略微上斜了（用管道工程的术语来说，是管道发生了松弛）。正常情况下，重力会站在我这一边，将排泄物轻轻抽走。但是管道变形后，重力就成了一个凶残的对手，把冲下去的东西全都送回了屋子；再加上天降大雨，就"咕噜咕噜"了。

傍晚时，我已经雇了个包工头把大街挖开，将破裂的黏土管换成了铸铁管。这是个昂贵的工程，我希望能在铸铁管中一半的碳 14 衰变完之前把款子付清（别算了，碳 14 的半衰期是 5,730 年）。

就在这一团糟的时候，隔壁邻居跑来问我，他房子前面那堆黑乎乎的东

西是怎么回事。我一下子紧张起来，告诉他在两家邻接的门廊会面。过去一看，我松了口气：他家的门廊上只是洒了几点烟灰。我沿着墙面朝上望，发现烟灰是从我们两家炉子排气管共用的烟囱里冒出来的。"我们该怎么办？"他问我。我说我什么都干不了，因为我家炉子烧的是燃气（气体本身无味，但为了在漏气时及时发现而添加了粪臭素），不可能产生颗粒；倒是他需要去检查一下他家那个烧油的炉子，看看有没有燃烧不充分的现象。

避开这场危机后，我又专心找起了那只耗子，就是被我家猫咪抓住，然后哥俩玩起打乒乓球的那只（耗子扮演的不是猫的对手，而是球）。吓坏了的耗子也为弥漫的粪臭素献出了自己的那一小部分。

傍晚时分，局势得到部分控制，我也得以出门，去一家本地餐馆吃饭。正当我驾车行驶在一条没有灯光的林间公路上时，一个毛茸茸、白花花、一动不动的物体出现在车灯前面。我躲闪不及，撞上了它。还没等"什么东西"这几个字说完，我就明白了问题的答案。因为一阵清新刺鼻的粪臭素对我的嗅觉发起了猛攻，唯一的安慰是，那只可怜的臭鼬在被我撞上之前就死了。希望车上的气味能在我付清管道维修费之前散去。（翻译　红猪）

厕纸

的进化史

◎ 分析旧日风气，管窥古人生活。

　　我上一次参观波士顿的美术博物馆是在 2004 年，去看伦勃朗（Rembrandt）[1] 的画展。回想起来，当时如果知道有一只古希腊酒杯就藏在馆内，我说不定会从这位荷兰巨匠的作品前走开。根据 2012 年圣诞节的那期《英国医学杂志》（*British Medical Journal*），那只酒杯有

---

1. 伦勃朗（1609 ~ 1669）荷兰画家。

2,500 年的历史，现在看来，创造它的那位无名工匠为塑造西方文化立下了很大功劳，因为酒杯上的装饰，是一个男人在擦屁股。

《英国医学杂志》上的这篇文章题为《古典时代的厕所卫生》（*Toilet Hygiene in the Classical Era*），作者是法国人类学家、法医学家菲利普·夏里耶（Philippe Charlier）和他的同事。文章研究了古时候的清洁技术以及随之而来的医学问题。《英国医学杂志》的 12 月下半月刊在题材上向来不拘一格，这篇厕所文章也正符合这个传统。

这篇考证如厕卫生的文章提醒我们：在某时某地视为惯常的做法，在另外的时间、地点就未必有人知道。西方的文献中首次提到厕纸已是 16 世纪，在讽刺作家弗朗索瓦·拉伯雷（François Rabelais）[2] 看来，这种纸片不太能发挥应有的功效。当然了，纸张随手可得是近代才有的事，当年还是珍品。《古典时代的厕所卫生》的几位作者于是写道："清洁肛门可以用各种方法，根据当地风俗和气候不同，有用水（坐浴盆）、树叶、草叶、石块、玉米穗、动物皮毛、树枝、雪块、贝壳等等，用手的也有。"当然啦，审美观要求我们在万不得已时才会出动双手，但是仔细想想，贝壳才是垫底的选择。擦屁股的东西本来务求"松软可捏"，但蛏子壳之类的东西实在和这个标准相去甚远。

夏里耶等人诉诸权威，搬出古罗马哲学家塞内卡（Seneca）的著作告诉我们："在古希腊罗马时代，人们在排便后使用一块固定在树枝上的海绵来清洁臀部，清洁完毕再把海绵浸泡在一个盛满盐水或者醋水的桶里。"有没有想到你的节水马桶？几位作者还提到，古人用一种圆形的陶片来清洁臀部："这种陶片被称为 pessoi（意为'卵石'，也可指古代的一种棋类游戏）。"（美术博物馆里那只酒杯上的男人就是在用这种陶片善后。）

2. 弗朗索瓦·拉伯雷，法国作家，著有《巨人传》（*Giant*）。

论文里还写到，古希腊有一句格言劝人节俭，提到了 pessoi 的用法和目的："三块石头就够擦了。"它的现代版本大概就是"厕纸不会长在树上"。这话故意说得自相矛盾——纸都是木浆做的。

这些 pessoi 可能有部分来源于 ostraca。后者是古希腊人刻有敌人姓名的碎陶片，功能是用来表决，看要不要把某个傻瓜赶到城外去——"ostracized"（流放）一词就是这么来的。夏里耶等人提出，古希腊人把 ostraca 用作 pessoi 是一大创举，因为那样"就可以名副其实地往痛恨的人的名头上泼粪了"。目前刻着苏格拉底（Socrates）名字的 ostraca 也被发现了，这不奇怪：他们不是投票决定给苏格拉底灌毒芹，又把解药给扔了么？（严格地说是苏格拉底自己给自己灌了毒芹，然而谁又该承担最终的责任？这个问题大可以进行几个小时的苏格拉底式辩论。）

将一种硬物的碎片放到人体的柔弱处，无论那东西打磨得如何光滑，在医学上都是有一定风险的。几位作者写道："陶片的粗糙程度决定了长期使用 pessoi 可能导致局部炎症，皮肤或黏膜损坏，或者外痔并发症。"

引用一段莎士比亚（Shakespeare）的话："我们的结局早有神明造就。[3]"说来可悲，神明只把我们的臀部造就，清洁工作却要我们自己辛苦图谋。（翻译　红猪）

---

3. 这句话出自《哈姆雷特》（*Hamlet*）。全句是："我们的结局早有神明造就，无论我们如何辛苦图谋。"

最 残忍的一割

◎ 伺机出动的记事本、打印
纸和日常邮件。

　　它无疑是最痛苦的伤。光是想到它，就足以令强者颤抖、弱者昏厥。它防不胜防，一张散页纸就能酿成悲剧。它，就是纸划伤。

　　说到这里，我的思绪就不由飘到了记忆中最血腥的一道伤口上，那是一位友人向我展示的指尖重创。多数我所见过或遭受过的纸划伤都是不到一厘米的直线，可那位朋友的伤口却至少有普通伤口的两倍长，中间还带锯齿，仿佛是某位手持小刀的无形刺客临时决定把刀锋扭上几扭。我在恐惧之余，不禁想到，现代医学对这类割伤会有何见解呢？

结果发现，意外地少。医学期刊里提到纸划伤，几乎都在探讨感染的可能，尤其是由吓死人的耐甲氧西林金黄色葡萄球菌（MRSA）造成的感染。还有几篇文章宣称，血友病患者在被纸划伤后不会流血而死，一举破除了在那群入行没几年的业余血液学家之间广泛传播的民间说法。

根据美国"聪明极客"网站（wiseGEEK）的说法，质量越好的纸越容易造成划伤，够讽刺的。该网站指出："切得很薄的光滑纸张在制造划伤方面无可匹敌。"假设有一令捆得结结实实的纸，其中只要有一张稍稍突出，就是一件非同小可的武器，在你伸手去拿时让你见血。该网站解释道："其他纸张对突出的那张起到了固定作用，给了它足够硬度，使它变得如同剃刀般锋利。"这就是为什么办公室的打印机前会留下一行血迹，并一直延伸到那位好心往进纸盘里添纸的苦命人的办公桌边。

纸划伤真的会使人痛感倍增，因为最容易受伤的指尖也是人体的一个特殊部位。为了满足不断探索环境的需求，指尖上布满了神经末梢（包括产生痛感的疼痛感受器）。如果以身体各部位对应的皮质大小重建你的人体模型，你会看见一个变形人：头大，身体小，手大，脚小。这个变形的人体就是"大脑皮层人象"（cortical homunculus），它表明了来自身体各部分的信号在大脑皮层中的对应面积，某个部位越大说明这部分的感觉神经越多。只要看它一眼，就能领悟指尖为何如此敏感了。我本人没法单手抓篮球，但我的这个变形人却能轻松地一手抓握沙滩大气球。也就是说，指尖上很小一块区域就集合了比别处多得多的疼痛感受器，而这些感受器中没有哪个知道一本度假手册和一把武士刀的区别。

每次去邮局寄信，我的心中都会涌起一种生怕被纸划伤的恐惧。电影

《与鲨同游》（*Swimming with Sharks*）里凯文·史贝西（Kevin Spacey）扮演了一个反人类的电影制作人。他的助理受够了他的淫威，忍无可忍之下奋起反抗，把他五花大绑，接着用办公室的信封边缘将他毁了容。这一幕在我的心底激起了无限恐惧，从那以后，我再也不像从前那样横着舔舐信封口了（我怕舌头开花），转而采用手指竖着轻抚。

这个决定的依据是"大脑皮层人象"的那条大得离谱的舌头。那条舌头还证明，《我为喜剧狂》（*30 Rock*）里那位虚构的娱乐业大亨、亚历克·鲍德温（Alec Baldwin）扮演的台柱子杰克·多那其（Jack Donaghy），在学习"如何在钱堆里翻云覆雨而不被划伤"时，大概是在浪费时间。因为腿和躯干加在一起，还不如舌头和手指占据的脑区大。

再说，一百美元纸币是软的，而软的纸都是安全的。聪明极客网指出："报纸或许是最不容易造成割伤的一种纸。"对于这个理论，我可以现身说法地提供一则证据：我刚进入新闻界工作的那阵[做报童，每天派送几千份《纽约邮报》（*New York Post*）]，没有一次被报纸划伤过。但话又说回来，《纽约邮报》的锋芒，早就随着威廉·柯伦·布赖恩特（William Cullen Bryant）离开编辑队伍而一去不返了。

编辑手记：米尔斯基先生在开启读者来信时被严重划伤，事发时距本篇专栏文章交稿五小时。（翻译　红猪）

怎样 让指纹消失

◎ 没有指纹，走投无路。

犯罪是没好果子吃的——不过有时候也未必。要保证犯了罪还有好果子吃，最好的办法就是不被抓住，而不被抓住的一个好法子，就是不留下证据。《双面法医》（*Dexter*）[1]塑造的那个连环杀手德克斯特（Dexter）在犯案时就老是戴着一副手套，使得现场无迹可寻，警探无计可施。不过多亏了一项研究，德克斯特或许可以不用再戴手套了：他只要在洋葱上练练刀工，就可以让指纹难以辨认。

---

1. 《双面法医》，美国电视剧，主角德克斯特白天是法医，晚上化身为杀手追杀罪犯。

我不是说这种气味刺鼻的球茎能够散发烈性气体并溶解指纹，使许多大盗得以坐享赃物，不用坐牢。不，使罪犯逍遥法外的原因比这个平凡得多。该项研究发表在 2012 年 12 月《美国医学会杂志·皮肤病学》（*Journal of the American Medical Association, JAMA Dermatology*）网络版上，研究发现，任何手部感染了接触性皮炎的人，指纹都有可能就此无法辨识。而感染接触性皮炎的好办法就是切洋葱，要切到脸色发青、手指发红为止。

研究招募了 100 名双手娇嫩白皙的自愿受试者［可参照美国情景喜剧《宋飞传》（*Seinfeld*）里的人物乔治·科斯坦萨（George Costanza）的手被熨斗不幸烫伤之前的样子］，外加 100 名拇指感染了皮炎的受试者。在这皮肤有恙的 100 人中，有 27 人的手指在扫描器上扫不出指纹，而对照组里扫不出的只有 2 人。如果说法庭断案的时候一定要求指纹证据，那想必就会有约四分之一患有手部皮炎的被告会在被宣判无罪之后，朝着法庭记者挥舞自己干裂的手掌了。

除了切洋葱，还有许多法子可以把你手指上的纹路变成水疱。其中的一个有效措施是经常洗手，医生就一直在这么做，但有抑郁症的人这么做就得看医生。此外，接触毒葛、橡木或漆树也能达到同样的效果。还有人碰了乳胶，手指就起反应——这说来的确有点讽刺：戴着橡胶手套掩饰指纹会导致皮肤反应、淡化指纹。

当然了，这项研究的目的不是要助罪犯一臂之力，帮他们摆脱法律的制裁，它的真正目的是确认日渐普及的生物识别技术会给多少人带来麻烦。假如你在进入工作场所之前必须通过拇指扫描仪的辨认，那么一旦患了皮肤病你就可能被单位晾在门外；如果是冬天，这么一晾又会使你手指皲裂，指纹更加难以读取。

　　不过，那些真正上进的罪犯在阅读《美国医学会杂志·皮肤病学》之后，倒可能觉得让指纹变得模糊不清是个值得一试的办法。但是，这一人群十有八九不会包括一名据说来自美国佛罗里达的毒贩：此君不久前暴得大名、在蠢货年鉴里占了一席之地。

　　事实上，他此前已经在贩毒界闯出了名声。据《戴托纳海滩日报》（Daytona Beach News-Journal）的报道，这位19岁的马修·多拉希德（Matthew Dollarhide）在和人讨论一桩毒品交易时，不慎用屁股拨通了911报警电话，使警方调度员得以监听并记录下了他的通话。

　　如果你不明就里，就去看看诲人不倦的"城市字典网"（Urban Dictionary）对于"屁股拨号"（butt dial）的定义：屁股拨号就是"无意间拨通裤袋里的手机"，具体做法可以是正巧或不巧坐在手机上，也可以是碰到重拨键，从而使对话被"广播"出去。当前这个词语在城市字典网上的例句是："他用屁股拨通了公寓的电话，我们跟着收听了他在相亲时的所有私密情节。"不过新例句肯定要换成多拉海德先生的了。

　　警方一边追查电话来源，一边心痒痒地监听着如下线索：这位用屁股拨号的先生自称开着一辆拖车，并且频频提到"哈利"两字。根据后来的新闻报道，"这使得警方轻易找到了一辆在车身上刷着'哈利拖运'的白色拖车"。警方在截停拖车的时候，大概不会说不出恰当的理由，而法官在断案的时候大概也不需要指纹证据了吧。（翻译　红猪）

控告
动物伤害罪

那些一枪打上头条的动物们。

　　新闻报道里有一些所谓的"狗咬人"的新闻，也就是那些平淡无奇、意料之中、称不上好新闻的新闻［除非那狗是《生化危机》（*Resident Evil*）里的恶犬、那人是国家地理频道"狗语者"节目主持西泽·米兰（Cesar Millan）］。要在科学报道里举一个"狗咬人"事件的例子，那就是爱因斯坦（Einstein）和相对论的又一次证明。

　　还有就是引人注目的"人咬狗"的新闻，那可不是经常能见到的（除非那人是世界吃热狗大赛冠军小林尊（Takeru Kobayashi）、那狗是美国快餐连锁店美食胜餐厅的芥末酸白菜热狗）。要在科学报道里举一个"人咬狗"的例子，那就是前阵子喊得很响的那个"超光速中微子"的主张了。不过依我看，这个特例还是应该被称作"人宣布咬狗，但物理学家仍想好好研究那条狗"的新闻。

除了以上两种，我们还偶尔会听到"狗射人"的新闻，也就是狗用枪朝人射击。

2011 年 11 月 27 日发生了一起"狗射人"事件，起因是美国犹他州的一个猎鸭人将一柄 12 号猎枪随随便便地扔在了自己的船里。事发前，被害人下船去摆弄诱饵。据说就在这个当口，他的狗狗一脚踏中扳机，使猎枪射出了一大坨纷飞的霰弹，其中 27 颗小子弹命中猎人的臀部，使他的身心双双受到打击。

初步调查显示，那条狗和在场的鸭子都未受伤。如果当时猎枪的保险是关着的，那么那条狗就必须打开保险方能射击，它的罪行也从过失伤人升级为故意伤人——如果有人要起诉这个猎人曾经最好的朋友的话。

当然了，以今天的眼光看，指控动物犯罪是在发神经；可要是案子发生在中世纪，那么狗狗是否蓄意开枪就是一件大事了。2003 年，佛罗里达州立大学（Florida State University）的法学博士生珍·吉尔根（Jen Girgen）就这个问题发表了专题论文，题为《对动物起诉与惩罚的历史及现状》（*The Historical and Contemporary Prosecution and Punishment of Animals*）。论文中指出，在中世纪，"若动物对人类造成身体伤害或致人死亡，该动物就要由世俗法庭的法官施行审判、惩罚"。1567 年，一位法国的地方法官以杀人罪判处一头猪绞刑。怎么知道是那头猪干的呢？原来是有人告了密。

"狗射人"的事情或许少见，但是即将变成鹿肉的鹿却常常能对猎人还击，只要在互联网上搜索"鹿射猎人"（deer shoots hunter）就知道了。死掉的动物反射性地踢中扳机，这似乎已成为身后复仇的常见手法，算不上痛快，但总归聊胜于无吧。

尽管我们这些手上沾着油墨的捣蛋鬼都不由自主地被"动物射人"的新闻吸引，但是我本人却很早就明白了，动物是需要提防的。这一课是在1992年学到的，那一年，我在收音机里听到了密苏里州的一名男子被火鸡射中的新闻。在由一家新闻社发掘之后，这则轶事被各家电台和报纸报道了数百次之多。据说，被害的猎人在事发当天射中了一只野生火鸡，然后把这只大鸟和他的猎枪一并扔进了车子的行李箱里。后来猎人的儿子打开行李箱，火鸡受惊，手足无措，无意间抓到了猎枪扳机，接着一声轰鸣，受害者（唔，应该算是第二受害者）大腿中弹。

在美国密苏里州环保部门着手调查这则重要新闻的时候，我给他们打了个电话。一位执法官员告诉我，这则"火鸡射人"的故事"直到我们向相关人员采集证言时才浮出水面，后来它简直成了个笑话"。他还对我强烈暗示，说调查人员怀疑猎人的儿子在事故中负有责任。如果这是真的，那么这一家的感恩节大餐可就吃得辛苦了，因为火鸡得料理，受伤的真正原因也得掩饰。

所幸的是，火鸡猎人已经痊愈，野鸭猎人也会痊愈，狗狗还会亦步亦趋。也就是说，他们的持枪许可费可以继续用来支持狩猎管理和栖息地保护了。我倒是建议诸位，要打猎就得找一位值得信赖的人类伙伴，这样，他在看见你的爱犬朝猎枪跑去时，就可以大喝一声："压（鸭）低！（Duck!）[1]"（翻译 红猪）

---

1. 此处作者使用了duck一词的两个意思：作为名词的意思"鸭子"和作为动词的意思"（为避免被看见或被打中）迅速低下（尤指头）"。

飞鸟 投弹

◎ 你可不想走到这些长了羽毛的飞行员底下。

看看一只鸽子是怎样在交通中躲避车辆和行人的吧。那只鸟似乎体现出了不可思议的潜力——它既能飞，也能走。当然喽，二战期间，鸽子在前线和指挥所之间传递战报，可没少飞呢。然而鸽子的潜能从未被人们完全认识。因为人们没有给这种鸟儿展示空中才艺的机会——让它们成为飞行员。

考特尼·汉弗莱斯（Courtney Humphries）写了本书，叫《超级飞鸽：鸽子如何占领曼哈顿……以及全世界》（*Superdove: How the Pigeon Took Manhattan...And the World*），书中讲述了鸽子飞行员和其他鸽子的故事。作者解释说，把鸽子当作飞行员的想法源于年轻时的斯金纳（B. F. Skinner）。1940年，斯金纳目睹了一群鸽子的高难度动作，随后便有了这个念头。［想必他不是在看同年由沃尔特·皮金（Walter Pidgeon）执导的电影《飞行指挥》（*Flight Command*）时想到这件事的。］

当时的斯金纳已经向人们展示过一套简单的反馈装置：他赏给老鼠一点粗粮便能让其做出越来越复杂的动作。而鸽子原本就具备高超的飞行技术，斯金纳于是异想天开，大胆提议干脆将它们放进驾驶舱。唔，不是让鸟儿们去驾驶飞机啦，除非航空公司愿意免收行李费，不然谁会登上由鸽子飞行员驾驶的飞机啊？这些鸽子是要去驾驶导弹。

第一步当然是在鸽子身上"套上无趾袜，以束缚翅膀和脚的行动"，汉弗莱斯这样解释道。于是鸽子只得以鸟喙追啄目标——比如船只、建筑或特定的街角。一旦啄中，就赏以谷粒。鸽子头颈的运动由一台简陋的装置来记录，并通过电动马达转变为驾驶动作。"鸽子计划"曾上呈美国国防研究委员会（National Defense Research Committee），以期获得更多资助。委员会显然觉得对斯金纳也该加以束缚，于是拒绝了这个提案。

珍珠港事件之后，斯金纳再接再厉，致力于把寻常的鸽子变成WMD，也就是"插翅杀人鸽"（winged murdering doves）。他从GM那里得到了一张5,000美元的支票——这里的GM指的是谷物公司"通用磨坊"（General Mills），而非同时代的美国少将约翰·米尔斯（John S. Mills，他的名字简称JM，而米尔斯又恰好是飞行员和轰炸中队队员）。研究虽然由谷物公司赞助，关键却是让鸟儿们保持饥饿，其中颇具反讽意味。汉弗莱斯写道："斯金纳发现，如果不让鸟儿吃饱，它们就会为了获得更多食物而不知疲倦地工作。"她说，鸟儿们的表现格外优异，斯金纳的团队不得不把更多时间花在将鸟类动作翻译为航向修正量（course correction）的机械系统上，飞行员的可靠性则无须多加操心。

鸽子飞行员的概念一经验证，斯金纳就从联邦政府官员那里搞到了25,000美元，来研发他所谓的"有机制导装置"。他在驾驶舱中放了三只鸽子，凡是啄错目标的鸽子都得挨饿，直到它们明白自己错在哪里。

与此同时，军队正试图完善一种名为"鹈鹕"（Pelican）的滑翔弹（gliding missile），试验场地位于美国的"花园州"新泽西。于是，斯金纳的鸟儿们就在导弹的研发基地学起了制导（home in on target，依靠导航系统自动飞向目标）。没错，那会儿的斯金纳正训练鸽子驾驭"鹈鹕"，用假炸弹空袭新泽西。

斯金纳最终向政府委员会证明，鸽子的确能成为残忍执拗的杀人机器。但委员会始终觉得鸽子不过是鸽子而已。汉弗莱斯引用斯金纳的原话说："无论活生生的鸽子执行任务的景象有多么美丽，委员会的成员都觉得我们的提案纯粹是异想天开。会场气氛称不上无拘无束，因为与会者的快乐情绪受到了限制，但大家确实感到快乐。"

据斯金纳说，留给他的，是"整整一阁楼古怪无用的装置，和几十只对新泽西沿海岸线的轮廓怀有奇异兴趣的鸽子"。飞鸟纵横的岁月就此结束。嗯，你知道我在说什么。（翻译　红猪）

八哥 [1]
洗冤录

◎ 当年雀跃来此地，
今日处处八哥啼。

　　叽叽，喳喳，咕咕，啾啾。
反反复复，没完没了。

　　这正是八哥的"歌声"——
如果这也叫歌声的话。眼下就有
两只土褐色、胖乎乎的八哥与我
比邻而居：这对小家伙在我屋前
的枫树洞里安了家。它们整天从
洞口飞进飞出，叽叽喳喳。黄色
的小喙不断地掏挖树木的五脏六
腑，把碎屑丢到树下的人行道上。
要是这些鸟儿能在下雪天把木屑

1.　本文中的八哥指被引入美国的欧洲八哥（European starling），学名 *Sturnus vulgaris*，也称紫翅椋鸟、欧洲椋鸟。

撒到路上，让行人走得更稳当，我倒是要好好谢谢它们。但现在已是春天。鸟儿们越挖越深，只是为了自己。

就像数百万年前小行星突然撞向地球，很久以前的一天八哥侵入了我家领地。大约 10 年前，一棵枫树的树冠害了病，并最终被"截了肢"，枯死的树的顶端便成了鸟儿们挖洞、筑巢的好去处。那棵枫树就种在布朗克斯区，离我家的前门仅 6 米远。喳喳，喳喳。

话还得从头说起。16 世纪 90 年代后期，莎士比亚（Shakespeare）在《亨利四世》（*Henry IV*）上篇中描写了八哥的模仿能力。国王亨利（Henry）不肯把霍茨普尔（Hotspur）的妻舅，被俘的莫蒂默（Mortimer）赎回，霍茨普尔就盘算着要养一只八哥，让它在国王亨利面前整日重复叫莫蒂默的名字，好把国王气疯。"哼，我要养一只八哥，让它只会说'莫蒂默'三个字。"霍茨普尔不禁哀鸣道。（在戏剧和生活中，往往都是危难之际见"姻亲之情"。）咕咕，咕咕。

19 世纪末，一个名叫"美国驯化协会"（American Acclimatization Society）的组织搞了个"前环境影响评介项目"，想把莎翁剧本中提到的每一种鸟都引入美国。显然，我们的大诗人对鸟宠爱有加——作品中一共提到了 600 多种鸟。八哥能来这里，还多亏了布朗克斯的一位制药商，尤金·席费林（Eugene Schieffelin，离我家不远的一条街道就是以他的名字命名的）。如今，他喂养的八哥可算是在这里安居了。啾啾，啾啾。（除了八哥，该协会还带来了麻雀，这不，我的邻居——我指的是人类邻居——他家的通风孔上就住了一对。）

1890 年和 1891 年，该驯化协会在纽约的中央公园放飞了几百只八哥。到 1950 年，北起哈得孙湾，南到墨西哥境内，八哥的身影已经随处可见。如

今，北美洲的八哥数量已经超过两亿只。2007 年，鸟类观察家杰弗里·罗桑（Jeffrey Rosen）在《纽约时报》（*The New York Times*）的一篇文章中写道："它们对待一块新大陆的方法和人类如出一辙，这并不是它们的错。"喳喳，喳喳。

八哥为何不讨人喜欢呢？首先，它们长相平平：身体又短又粗，羽毛黑底白斑，就像一块放了几天的巧克力。还有它们讨厌的叫声，那也能叫"歌声"吗？八哥另一个遭人厌的原因，是它们与当地的鸟类争抢洞穴筑巢。有一种说法，纽约和密苏里两州的州鸟——美丽的蓝知更鸟数量减少，都是八哥造的孽。不过我对这种说法有个疑问，密苏里州的州鸟不是北美红雀吗？

但是，八哥或许没有那么糟。当阳光以适当的角度照射在它们的羽毛上，泛起彩色的光晕，那样子还真是迷人。它们的颌也很神奇。没错，就是颌。世界上大多数八哥的颌都是紧紧地闭着，但我们引入的八哥却迥然不同——它们的肌肉组织能让喙有力地张开。《鸟类观察者手册》（*The Birder's Handbook*）如是写道："闭合的鸟喙先插入厚厚的草坪或其他遮蔽物中，然后猛地张开，隐藏的猎物便无处可藏。"这恰好展示了它们颌间强健的肌肉。啾啾，啾啾。

至于蓝知更鸟失踪事件，八哥似乎很无辜。美国康奈尔大学鸟类学实验室（The Cornell Laboratory of Ornithology）的鸟类爱好者在网站上声称："2003 年的一项研究显示，八哥对于 27 种美国本土物种的实际影响微乎其微。除吸汁啄木鸟以外，其余物种都没有因为八哥的'入侵'而减少。"这样看来，鸣禽数量的减少，错或许不在八哥，而在我们自己。莎翁真是有先见之明。喳喳，喳喳。（翻译　红猪）

力挺 鸟类

◎ 为城市中奇妙的鸟类叫好。

　　纽约有好多鸟，说得更形象点，就在位于布朗克斯的我的住所的后院，我曾在1小时内数到过20种鸟，其中除了常见的哀鸠和麻雀，还有颇为罕见的棕胁唧鹀（rufous-sided towhees）和美洲红尾鸲（American redstarts）。在纽约见到的无疑还是一种"人类主宰的景观"，所以，2006年4月下旬，在美国自然历史博物馆（American Museum of Natural History）召开这个"在人类主宰的景观中保护鸟类"的会议是个不错的安排。我之所以要去参加，是因为我曾在阿尔弗雷德·希

区柯克（Alfred Hitchcock）的电影《群鸟》（*The Birds*）中支持过乌鸦。（我还拥护过《星河战队》（*Starship Troopers*）中的巨型虫。不过在《黑客帝国》（*The Matrix*）系列电影中，我倒是反过来力挺人类。当然，我指的是第一部。）

英国剑桥大学（University of Cambridge）的安德鲁·巴姆福德（Andrew Balmford）是会议的发言者之一，他曾入选2003年的"科学美国人年度50强"，这项荣誉旨在表彰那些"曾在科学、工程、商业和公共政策等领域对技术进步作出贡献"的先行者。巴姆福德因对栖息地保育经济学的研究而获此殊荣。闲扯中，我俩谈到了宿醉，还有口袋妖怪[1]。

巴姆福德和我探讨了鸟类在以人为主宰的环境中繁衍生息的一些招数。以斑尾林鸽（wood pigeon）为例，在英格兰，当斑尾林鸽的栖息地由传统的林地变成田地时，它们的主食便从果子转变为了农作物（一些农民肯定会大声反对了）。一些斑尾林鸽甚至在城镇扎根，它们会经常在酒吧边混，这样一来，有大把的机会能在人行道上直接寻得食物——如果你们明白我在说什么的话。[我把斑尾林鸽的这种生存之道告诉一位朋友，他问："是指吐出来的食物吗？"我说："嗨，是被扔掉的。"]

说到虚构的卡通生物，巴姆福德曾和同事在2002年的《科学》（*Science*）杂志上发表过一则短篇报道，题为《为何自然资源保护学家该留意口袋妖怪》（*Why Conservationists Should Heed Pokémon*）。虽然他的两个儿子对当地的动植物颇感兴趣，但他们的大多数朋友却更着迷于卡通片《口袋妖怪》中的角色。"结果，居然有了关于口袋妖怪的图鉴，让孩子们可以熟悉不同妖怪的名字和所有特征，"巴姆福德说道，"就跟帮你了解美国东部的鸟类一样。"巴姆福德决心调查一番，看看孩子们更了解哪类"生物"：是真实存在于周遭的动植物还是这些口袋妖怪？答案可想而知。

---

1. 口袋妖怪，卡通片《口袋妖怪》中虚构的卡通生物。此片在中国也译作《宠物小精灵》、《神奇宝贝》。

依照这篇《科学》论文所述："对于野外生物，孩子们平均成功识别率从 4 岁的 32% 上升到 8 岁的 53%，而后轻微下降；而对于口袋妖怪，这个数字从 4 岁的 7% 上升到 8 岁的 78%。相比橡树或者獾，8 岁及 8 岁以上的孩子对口袋妖怪'种类'的识别能力明显好得多。"得到这一发现，巴姆福德表示："我们对此感到相当失望，更多的还是担忧，不过，这也许能提供点思路，告诉我们该如何拽住孩子们的想象，将博物学知识推销给他们。"

这种灵感有它的可行性，因为鸟类的确具备令人咋舌的超凡能力。我来提供一个"让孩子迷上鸟类"的构想：现在，我先得承认自己对《口袋妖怪》中的角色一无所知，我想象它们也许有匪夷所思的能力，像鼻孔喷火、吃石块，或是设计一款高里程数低耗能的运动型多功能车（sport utility vehicle, SUV）什么的，又或者做出其他魔幻般的事。但是，鸟类本身能做到一些更令人称奇的事。有些鸟的奔跑速度能超过良种马，有些鸟可以从湍急的河流中用爪子逮鱼，还有些鸟甚至能看到 1,600 米外的兔子。当然，最令人惊叹的还是，它们会"飞"！事实上，当许多久居繁华都市的人偶尔抬头，看到天上飞过的如同超人一般的东西，都会惊呼："看，天上！那是只鸟！"（翻译 姬十三）

喵星人 崛起

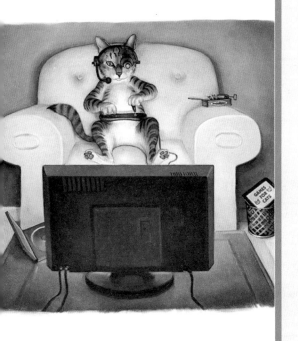

◎ 人类对猫咪的执著已经延伸到了电子网络和设备。

猫这么多，时间这么少，怎来得及一一崇拜。

我一个人就拥有两只猫……唔，"拥有"这个词用得有点自我膨胀，应该说：有两只猫恩准我陪在它们身边，怎么陪则要随它们意。这两只猫都是搬走的邻居扔下的（我就知道）。第一只，附近的孩子一直叫它"斑点"的那只，已经养成了常来我家溜达的习惯，溜着溜着就不走了。

第二只，叫"阿虎"，也是孩子们起的名。我倒是给它想过几个堂堂正正的雅号，比如雅典娜（Athena）、阿基里斯（Achilles）之类，但它们既然已经是"斑点"和"阿虎"，就永远都是"斑点"和"阿虎"了。（我们当然无从得知它们那高深莫测的真名，也永远不会知道。）阿虎看见斑点得到的待遇，便也要求（好吧，是命令）进屋来住。它现在正目不转睛地盯着我呢，那意思是叫我从它的椅子上下来。我解释说，我必须坐在椅子上工作，才能为它奉上猫膳。但它仍旧目不转睛地盯着我，那意思是："小弟，工作的事，就留到我不需要椅子的时候吧。"

据美国人道协会（The Humane Society of the United States）的估计，美国人拥有的猫咪总数已达到 8,600 万只。也难怪，人嘛，总得有一尊小小的猫神巴斯特坐镇沙发，生活才算圆满。［狗也很伟大，是它们穿越冻土带，把白喉抗毒素（diphtheria antitoxin）送到了诺姆！是美国的诺姆，不是古埃及的。行了吧，养狗派？］

我们对猫的执著，最近又有了强有力的证据：谷歌的 X 实验室开展了一个人工智能项目，他们将 16,000 台电脑处理器联网，并向该网络随机播放了视频网站 YouTube 上的 1,000 万条视频。研究者随后对这个网络展开询问，以测试它对世界的理解。当他们向网络出示猫的照片时，网络回答："对，这东西我认识。"这要么是因为 YouTube 上的视频大多与猫有关，要么就是猫神已经潜入网络并把答案告诉了它。

有报道称，研究者教电脑识别猫咪，或许是因为美国国会需要更多的故障信息，以便作为削减科研经费的借口。不过谷歌在斯坦福大学（Stanford University）的研究伙伴吴恩达（Andrew Ng）却否定了这一说法，他对美国国家公共电台表示："让网络找猫没有什么特殊目的。我们只是碰巧让网络找猫，而且网络找到了猫。"他还解释说，基于他的假设，由于许多人都上

传了猫的视频，他们的网络才得以看到许多猫并且学会了辨认猫。

我敢说，要是吴教授让他的网络辨认一个男人往自己胯下投掷物体的形象，结果也一样成功。当然了，国会也不会给一个看得懂男人砸裤裆的网络科研拨款。所以，这个实验的真正目的，其实是观察一个小型模拟人脑的人工智能系统如何理解它所接触的信息。这个功能对企业界有许多好处，比如催生更好的搜索引擎和更好的语音识别软件。或许，它还能催生更加先进的武器系统，那样应该就能来点钱了。

说到钱，近来有些猫主人对适用于苹果平板电脑（iPad）的一款专门给猫玩的游戏很是恼火。根据"避世客"网站（Escapists）的说法，这款游戏能在屏幕上显示各种移动的物体，供你的猫娱乐。这就相当于用激光笔逗猫，既能锻炼猫，也能锻炼、娱乐主人，只是 iPad 更高科技而已。

问题出在游戏升级时跳出的一个菜单，"避世客"称，这个菜单"太好用了，连猫都会用"，于是猫主人常常莫名其妙就破了财。最后，游戏设计者不得不将菜单改得复杂，以确保只有人类才能购买更多、更好的猫咪玩具。

好了，我还是赶紧从这椅子上下去吧。（翻译　红猪）

以 "短" 取胜

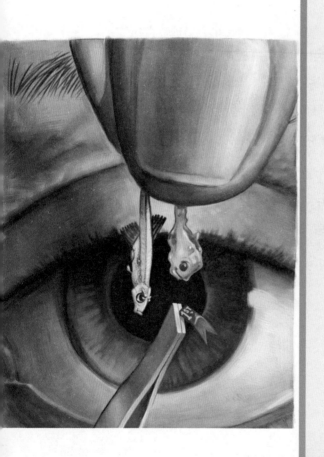

> 只有科学家才敢这样吹嘘："我曾经抓住过一条这样小的鱼……"

2005 年 1 月下旬，一场大人国的战争在小人国水域爆发了。呃，恕我夸张了一些。我们这里要谈的不是红花餐厅（Benihana，日式铁板烧料理连锁店）的投虾案，虽然这起诉讼也发生在 1 月。据说，红花餐厅的一位厨师技艺精湛，能将烧得"咝咝"作响的虾准确投到食客口中。嗨！这何止是一顿饭，简直就是一场表演。谁知某日，一位客人为了躲开厨师掷来的虾，居然扭伤了脖子。这个人从此健康状况开始恶化，

最后医治无效去世。他的遗孀以此为由起诉红花餐厅，并且狮子大开口，索要 1,600 万美元的赔偿。（2 月，陪审团判决红花餐厅无罪，因为餐馆并没有错。）

言归正传，本文的重点不是虾，而是科学家对于最小的鱼类，即世界上最短脊椎动物的争论。一个多机构联合研究小组称，他们在印度尼西亚的高酸泥炭沼泽中发现了一种被称作 *Paedocypris progenetica* 的鱼，它的成鱼只有 7.9 毫米长。这种"生活在腐蚀性沼泽中的微小脊椎生物"被归为鲤鱼的一种。

科学家在《英国皇家学会会报 B：生物学》（*Proceedings of the Royal Society B: Biological Sciences*）上公布了这个发现，历史悠久的世界上最短脊椎动物头衔前任保持者、一种 8 毫米长的侏儒虾虎鱼（dwarf goby）被取代。现在看来，这种鱼改名叫巨人虾虎鱼（moby goby）似乎更准确。

重要提示：绝对不要用一种名为 *Driloleirus americanus* 的蚯蚓——人们（大概一半的人）对它比较熟悉的称呼是巨型帕卢斯蚯蚓（giant Palouse earthworm）——来捕捉这两种小鱼。2006 年 2 月上旬，一个美国爱达荷大学（University of Idaho）的研究生成为了近 20 年来第一个目睹这种蚯蚓的人。这是一种白色的虫子，就像亚哈（Ahab）所描述的那样，它能长到近 1 米长。当然，与那些能长到 305 厘米长的澳大利亚蚯蚓相比，它也算不上什么。幸运的是，它们都生活在深深的地下。

回到我们对于短小身材的论述。当各家报纸对新出炉的最短脊椎动物头衔获得者大唱颂歌、唾沫未干时，下一轮最短脊椎动物桂冠的摘取又开始了——美国华盛顿大学（University of Washington）闪电般宣称，他们的西奥多·皮奇（Theodore Pietsch）探测到了新的"深度"（或者说"高度"更准确？我也不知道哪个词更合适一些）。这个发现发表在日本鱼类学协会

（The Ichthyological Society of Japan）会刊《鱼类学研究》（*Ichthyological Research*）中。皮奇在文中提出，产于菲律宾的光棒鱼（*Photocorynus spiniceps*，属于琵琶鱼的一种）的雄性成鱼只有 6.2 毫米。而未成年的雄鱼"更大"（或者"更小"？呃，我不确定是哪一个）。而雌性光棒鱼能长到 46 毫米长——雄鱼之所以如此之小，是由它的异性寄生（sexual parasitism）的生殖方式决定的。

皮奇在文中引用了博物学家威廉·毕比（William Beebe）在 1938 年对异性寄生的解释："在雌性气味的诱惑下，雄性一步步靠近体形巨大的配偶，在无边和压抑的黑暗中，任性而坚决地在她柔软的身躯上咬开一道裂口，沉醉于雌性血液缓缓注入自己血管的享受之中，打破一切对于自身的定义，成为一条无意识、无感觉的鱼——上述情节未经查实，尚属虚构。"我虽然不能亲眼目睹这种异性寄生的方式，但在西格妮·韦弗（Sigourney Weaver）的电影中，丑恶的异型生物在人体内孵化的情节已经足够令人触目惊心了。我指的是她出演的那部《异形》（*Alien*），不是《上班女郎》（*Working Girl*）。

由于微小的雄性光棒鱼体腔中的主要器官是精巢，它只能采取一种把自己作为性器官的生活方式。雌鱼负担了两个躯体的基本生活功能。无意识、依附性的雄鱼唯一的工作就是繁殖。有鉴于此，你就不会觉得汤姆·汉克斯（Tom Hanks）饰演的弱智男成功钓到美女的故事难以置信了。我说的是《阿甘正传》（*Forrest Gump*），不是《美人鱼》（*Splash*）。在《阿甘正传》里，那个弱智的男人最终钓到了鱼，不是吗？（翻译　徐蔚）

树懒 不懒

> 树懒的名字常常让人联想到好吃贪睡，其实它们是不折不扣的行动派，而且有着超常的智慧。

任何因过错得名的动物都将面临生活的考验。树懒就该换个好听的名字，比如"从容兽"或"三思兽"。然而无人知晓树懒自身的想法，因为它们总是笑眯眯的，少言寡语。

2009 年 3 月 6 日，我沿着加勒比海岸，来到哥斯达黎加的卡维塔以北的阿维里奥斯树懒救护中心（Aviarios Sloth Rescue Center），那里的树懒就不怎么搭理我。这是一趟充满艰辛的旅程，但辛苦的不是我，而是荷美邮轮公司如德丹号（*Zuiderdam*）豪华邮轮上辛勤的船员。2 月 27 日，这艘邮轮从美国佛罗里达劳德代尔堡启航，途经巴哈马、阿鲁巴、库拉索、巴拿马和哥斯达黎加，最后返回佛罗里达。在这过程中最令我头痛的是一顿接一顿的豪华大餐。如果阿维里奥斯保护区中的树懒因为消化树叶慢而得名，那我干脆叫"贪吃鬼"得了。（我打算写部小说《颓医记》（*Mopey Doctor*），以一位体重只有 37 千克并且多愁善感的内科医生为主角，上面这句正好作为开头。）

此次巡游是因赛特邮轮公司与《科学美国人》（*Scientific American*）共同主办的系列活动之三，主要是邀请一些科学家和蹭吃蹭喝的记者向热情洋溢且适应力强的听众进行演讲。本次游学的主题是进化。

邮轮顺着巴拿马运河靠大西洋的一侧行驶，通过传闻中阶梯状的加通水闸，进入到广阔的加通湖，水位一下子上升了 85 英尺（约 26 米）。4 位主讲乘坐一艘摩托艇，驶过波光粼粼的湖面，到达巴洛科罗拉多岛，史密森热带研究所（Smithsonian Tropical Research Institute）就坐落在岛上。一个世纪前，这里曾是一座山丘，修建运河时引入的海水淹没了山谷，才形成现在的岛屿。整个岛屿是一座巨大的实验室（也是树懒的家园），正在开展一项长达 30 年的重大研究。研究人员对岛上部分区域的植物逐一标注并定期观察（目前有 25 万株植物），希望弄清热带生物多样性产生和发展的奥秘。数以万计的标注就隐藏在大片的树叶下面，有的伪装得极好，不仔细看会让人以为是斑纹。

通过加通水闸后的第二天，我见到了超级可爱的"奶油瓶"——阿维里奥斯中心救助的第一只树懒。1992 年，路易斯·阿罗约（Luis Arroyo）和朱迪·埃维–阿罗约（Judy Avey-Arroyo）夫妇还在经营家庭旅馆，邻居家的孩子抱来了孤儿"奶油瓶"。在夫妇俩的照料下，这只三趾树懒宝宝健

康成长，被取名为"树懒大仙"。从此以后，当地人一发现没爹没娘的小树懒，就往路易斯和朱迪那里送。到 1997 年，阿罗约夫妇成了专职的树懒救护人员。

这份工作充满挑战，因为有关树懒的科学文献非常少。夫妇俩必须从基础研究做起，比如研究树懒乳汁的成分。朱迪告诉我们，树懒妈妈养育的宝宝"生长速度比人工养育的快 3～4 倍"，"树懒的乳汁里肯定含有特殊成分，可能是一种高脂肪物质。不过我们对树懒母乳的研究还在起步阶段，因为无法获取足够的母乳进行分析"。树懒妈妈总是把宝宝挂在身上，所以从不储备乳汁。用商业行话来讲，树懒妈妈采用的是"零库存战略"（just-in-time inventory strategy）。看来，狐狸是徒有其名，真正狡猾的是树懒。

尽管名字里带个"懒"字，树懒却是不折不扣的行动派。与整天吃饱了就睡的猫相比，树懒每天的睡眠时间只有 10 小时。它们虽然外形酷似木偶和猴子，在分类学上却更接近食蚁兽和穿山甲。树懒多半时间呆在树上，每周一次回到地面排泄。这种生活方式非常类似于灵长类中为数极少的一支——纽约高层豪宅中的超级模特。

目前，岛上共有 116 只树懒，它们要么在阿维里奥斯树懒中心接受治疗，等待伤愈后回归树林，要么与阿罗约夫妇生活在一起。这些树懒有的没爹没娘，有的触碰电线受伤，还有的曾遭受人类攻击。这些攻击树懒的人大概是想证明，查尔斯·达尔文（Charles Darwin）所著的《人类的由来》（*The Descent of Man*）应该被称为《人类的退化》。（翻译　红猪）

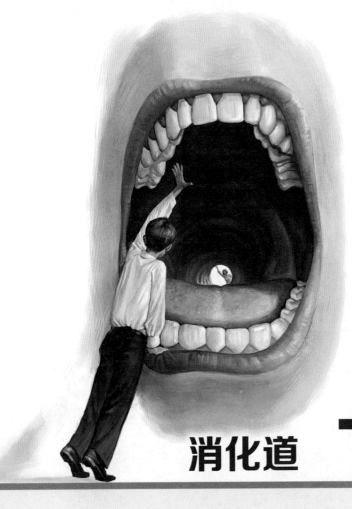

消化道 一游

◎ 玛丽·罗奇携作品《狼吞虎咽》
带领我们探索身体的内部管道。

美国喜剧演员格劳乔·马克斯（Groucho Marx）说过："在狗之外，书是人类最好的朋友。在狗之内，光线太暗所以读不了书。[1]"既然已经有了这条流传了几十年的至理名言可作参考，那么为什么作家玛丽·罗奇（Mary

---

1. 这是一句经典的双关语，英文原文是：Outside of a dog, a book is a man's best friend. Inside of a dog it's too dark to read. 第一句话可以理解为"如果不算上狗的话，书是人类最好的朋友"。但这句话也可以理解为"在狗的（身体）外面，书是人类最好的朋友。"这样解释的话第二句话就很有意思，"在狗的里面，光线太暗所以读不了书"。这句话也可以引申为"如果不算上狗的话，书是人类最好的朋友；可如果把狗算在内的话，书和狗比起来就显得太难以理解了"。

Roach）还非要把胳膊伸进一头活奶牛的胃里？那里可是昏暗得写不了字呀。答案是：因为罗奇每次都要这样研究一番，才能写出一本本能在狗的（身体）外面供人阅读的书。另外，这里的牛指的是所谓的"瘘管牛"（fistulated cow），意思是在牛身上专门辟出了一个隐蔽的洞口。这一点相当重要，因为通过其他方式进去都会一塌糊涂。

我在 2013 年 4 月初和罗奇见了一面，当时她来纽约宣传她的《狼吞虎咽：消化道历险记》（*Gulp: Adventures on the Alimentary Canal*）一书，以下简称《狼吞虎咽》。她在 2010 年曾出版了《打包去火星》（*Packing for Mars*）一书，我在本书另一篇文章中提到过。其中有一部分探讨了在没有重力的环境下如厕的窘境。她告诉我说："有的人还没有读到书，只听到了宣传词，便觉得一整本书都在解释零重力下怎么上厕所的问题。这是不对的，那只是书里的一章，不过那一章确实引起了许多人的注意。这也使我了解到，除我之外，还有许多人对这种事情有着与 12 岁儿童一样的好奇心。"

《狼吞虎咽》以一个味觉实验开头，并以一次亲身经历的结肠镜检查结尾。正如罗奇所说，此书将"整个消化道"都包括在内了。

和许多伟大的文学作品一样，这本书的问世也多亏了一位对作家影响至深的编辑。罗奇回忆说："之前，编辑给我定的题目是'胃肠胀气'，于是我去找了 Beano[2] 的发明人，还到他们的研究中心去当了回实验对象。可是我那位编辑的笑点与我不太一样，她认为'屁'这件事没有什么好写的，但我觉得不写就表现不出胀气研究中真正有趣和给人以惊喜的地方。但后来我意识到，消化道里还有种种其他乐趣。"

是啊，还有什么事情比套上塑料袖套、扭动着手指伸进一头奶牛的瘤胃里更有乐趣呢？（《狼吞虎咽》里介绍说，瘤胃是奶牛的 4 个胃当中最大的

---

2. Beano，一种减少放屁的药物。

一个，尺寸相当于一个 114 升的垃圾桶。）

罗奇说，"瘘管牛"是农学院的主要产品。经过简单的局部麻醉，兽医在牛皮肤上切出一个咖啡罐盖子大小的开口，又在瘤胃上做出一个相似的开口。接着，他们把两个洞口缝合在一起，在表皮上装一个塑料塞子。于是，你瞧！一只"洞洞牛"（holey cow）——农学院的学生就这么叫——诞生了。（"瘘管"是一条人工的生理通道，不是一个让你随便塞进拳头的地方。）罗奇的这次亲密接触发生在加利福尼亚大学戴维斯分校（University of California, Davis），那里的奶牛为学生们提供了格外生动的指导，虽然不一定能打消他们所有的疑虑。

"瘤胃内部在进行发酵。"罗奇告诉我，"那是一个堆肥器，里面很热。奶牛利用细菌活动分解食物。我们靠的是胃酸和酶，而奶牛靠的是它的发酵桶。还有，你伸手进去就能感觉到那一阵阵奇妙的收缩。我还真担心我的哪根手指会被挤断呢。"她从不同角度回味着当时的触感："这是对动物消化系统的一次短暂但是难忘的体验。它们的消化系统与我们的完全不同。"

当然了，还有许多人在动物的消化系统中有过短暂而难忘的经历，比如老虎的或鳄鱼的消化系统。不过他们的结果往往不是著书立说，而是变为这些动物的排泄物。好在罗奇经过了考察，也经受住了考验。经历过"在兽腹中"的沉思之后，她回来了，像约拿（Jonah，《圣经》人物，曾入鱼腹三日而不死）一样，她有一个精彩的故事要讲。有罗奇把舵，《狼吞虎咽》的"肠胃之旅"一定是一次大众喜闻乐见的美味科普之旅：它有知识，有乐趣，且易消化。（翻译　红猪）

拯救 香蕉

○ 香蕉是最受欢迎的水果之一，然而，由于香蕉基因的单一性和各种病虫害的威胁，这种美味的食品正在逐渐消失。

　　如果没有香蕉，我们的生活会变得怎样？无声电影创造的第一批银幕形象，就是那些头戴礼帽、踩到香蕉皮后"滑上云霄"的滑稽演员。可以说，是香蕉为电影打开了市场。如果没有香蕉，孩子们就只能在午餐盒里塞几枚湿乎乎的柑橘；如果"香蕉女郎"乐队变成"杏仁女郎"乐队，肯定没那么受欢迎。莎士比亚（Shakespeare）说："让那些战争的懦夫逃走吧。"要不是脚底的香蕉皮打滑，他们又怎样"开溜"呢?

我是吃香蕉长大的。长身体的时候,每天的早饭总少不了"米酪、香蕉和牛奶"。现在骑车时,还不忘在衬衣口袋里塞根香蕉,好在半路上补充点钾来提神。实际上,我现在就打算小憩一下,吃根香蕉。

我吃完回来了,味道真不错。(我在香蕉上抹了点花生酱,骑车时可就没这么方便了。)让我算算看,我这辈子到底吃了多少根香蕉。《香蕉:改变过世界的水果的命运》(*Banana: The Fate of the Fruit That Changed the World*)一书的作者丹·克佩尔(Dan Koeppel)认为:"40 岁左右的普通美国人,平均要吃掉一万根香蕉。"这样说来,我大概已经吃掉了 15,000根香蕉。(是因为我已经 40 多岁,还是因为我不是普通人?不能告诉你。)

克佩尔在写书时,曾在洪都拉斯的香蕉种植园做了一个礼拜的研究。2007 年冬天,我也到了一个类似的种植园。2008 年 1 月 31 日,我在电子录音机上给自己留信:"真是热死人了。"热浪让我"奄奄一息",却让周围成百上千株香蕉树苗壮成长。这些香蕉树就种在洪都拉斯以北、危地马拉基里瓜的一个种植园里。我之所以去中美洲,是因为受到邀请,要在《科学美国人》(*Scientific American*)赞助的一次加勒比海巡游中发表演讲。(没错,这是件累人的活,但总得有人干。)当天安排的旅游项目之一就是参观香蕉园。对香蕉,我很难说"不"。(前一天,我才在伯利兹参观了吼猴,所以接着去看香蕉也是顺理成章的事。)

向导朱利奥·科多瓦(Julio Cordova)告诉我们,这个中等规模的种植园占地 80 英亩(约合 486 亩),兼做包装中心。每天,这里要运送 5 卡车香蕉,每卡车装 960 箱,每箱有 12 把。种植园的流水线上,有几十名工人正在分割大串香蕉(长在树上的一长串完整的香蕉),然后用塑料包装把香蕉按把装进盒子。一周之后,这些香蕉就会摆上你的餐桌。在"热死人"的天气里,这种工作才是真正累人的活,而且总得有人来做。

种植园里的一些香蕉树感染了香蕉叶斑病，该病由一种致命的真菌引起。克佩尔解释说，硫酸铜可以治愈这种疾病（但这会赔上工人的健康）。他在书中还分享了一些关于香蕉的趣闻：这种被称为香蕉"树"的东西，其实是世界上最大的草本植物；香蕉则是一种巨型浆果。尽管现存的香蕉超过 1,000 种，但多数人食用的却只是其中的一种——卡文迪什香蕉（Cavendish）。不幸的是，这种让我"痴迷"的香蕉正在逐渐灭绝。因为，一种能引起巴拿马病（Panama disease，枯萎病的一种）的真菌正向它逼近。

这种真菌简直就是"香蕉杀手"，它以前就出现过。实际上，我们今天吃的香蕉只是一种索然无味的"替代品"。我们父辈吃的香蕉，是一种名为大米七（Gros Michel）的品种。克佩尔解释说："它个头更大，质地更软，果味也更香浓。"现在，最受欢迎的香蕉全是通过无性繁殖克隆出来的。（瞧瞧，它们都没籽，好吃得很。）但这也意味着，它们缺乏遗传变异性：有了遗传变异，一些个体才能战胜病原体。20 世纪 50 年代，巴拿马病已经将全世界的大米七香蕉斩尽杀绝。接下来就该轮到卡文迪什香蕉了。人们本以为它刀枪不入，克佩尔却说："卡文迪什对枯萎病根本没有免疫力，它只对消灭大米七的那种菌株免疫罢了。"

正如一首歌中所唱的那样："是的，我们的香蕉没了。"谁都不愿意这句歌词变成现实。那么，我们就必须同时间赛跑，尽快找到治愈这种疾病的方法——要么改变香蕉的基因，要么找到全新的香蕉品种。因为，世界上绝对不能少了香蕉这种美味食品。（翻译　红猪）

西红柿 为什么不甜了？

让现在味同嚼蜡的西红柿恢复过去的香甜。

"火星巨人"（Martian Giant）不是好奇号火星车发现的一个大块头，"墨西哥侏儒"（Mexican Midget）不是里奥格兰德河南边最受欢迎的摔跤手，"三姐妹"（Three Sisters）也不是安东·契诃夫（Anton Chekhov）剧本的标题——唔，契诃夫的确有这么个剧本，但此三姐妹非彼三姐妹。这里的"三姐妹"、"火星巨人"和"墨西哥侏儒"，都是西红柿的名字。

这些都是祖传西红柿（指并非出于商业目的杂交而成的西红柿）的变种，它们经过压碎、捣烂、研磨、分析，踏上了神圣而美味的探索之路。2013年2月，美国科学促进会（American Association for the Advancement of Science）在波士顿召开年会。正如其中一场会议主题所讲的那样，他们正在为"修补破烂的西红柿"尽自己的一份力。

是的，工业化生产的、用玻璃纸包装成三个一包的西红柿简直糟糕透顶。这一点谁都知道，而且已经知道好几十年了。"西红柿失去香甜的味道，大致上是和二战末期开始的集约化育种一同发生的。"会议的发言人哈里·克莱（Harry J. Klee）说道，"我在《纽约客》（The New Yorker）杂志上读到过一篇好文章，它质问我们的西红柿出了什么问题。那篇文章是1977年写的，也就是说，在上世纪70年代，我们就已经知道这是个问题了。"克莱在佛罗里达大学（University of Florida）的园艺学系工作，还参加了该校的植物分子和细胞生物学项目。

现代超市中的西红柿之所以成为残次品，恰恰是因为人们不想使它们成为残次品。人们追求方便储存、方便运输的西红柿，其结果就是西红柿的外观、硬度和货架寿命全面压倒了口味。还有一大原因是追求每一株上多结果实。克莱说："现代西红柿以产量为重，一棵植株上长出了太多果实，以至于植株来不及给这些果实注入营养。因此现代育种者的行为无异于往以前的西红柿里加水。"

你或许以为，制造出一种便于运输、永不腐烂但味如嚼蜡的西红柿是个糟糕的商业模式，就好比公车司机严守时刻表、中间不停车上客一样。然而这个想法只有在吃西红柿的人是顾客的情况下才能成立。克莱指出："育种者的顾客是种植者，而非消费者。种植者要的是能赚钱的东西，不是消费者觉得好吃的东西。而育种者一般不和消费者接触，听不到后者对于最终产品的意见。"消费者可能把西红柿嚼了一半就吐掉，这一点育种者是不知道的。

运输一般需要冷藏，而这个环节会消灭掉所有的香味，因为冷藏会去掉所谓的"挥发物"——那都是些散发气味的化合物，能够进入鼻腔，影响人们对西红柿味道的感受。克莱说："总的来说，采摘之后的一连串做法就是用来摧毁香味的。"

显然，要让西红柿不那么难吃，就要改革整个工业耕种体系。克莱的想法不是培育出什么异想天开的新品种，而是对现有的西红柿来一个逆向工程。

琳达·巴图舒克（Linda M. Bartoshuk）在佛罗里达大学研究味觉和视觉，她在这次会议上也发了言。克莱与她合作，挑选了几十种历史悠久的祖传西红柿，比如前面提到的"火星巨人"等，并且让一组尝味者给它们打分。研究队伍接着将其碾碎（是碾碎西红柿，不是尝味者），然后克制住将汁水浇到意大利面上吃下去的冲动，对这些西红柿的成分进行了分析。

克莱和巴图舒克发现了六种增加甜度的挥发性化合物，而甜度正是人们给西红柿打分的最重要依据。他们还发现了两种能够抑制甜味的挥发物。这些挥发物可以欺骗大脑：打分者觉得，一种被称为"马蒂纳"（Matina）的西红柿品种比另一种叫"黄糖豆"（Yellow Jelly Bean）的品种甜一倍，虽然前者的糖分含量比后者要低。巴图舒克指出："这六种增加甜度的挥发物马蒂纳全部都有，而且浓度高于黄糖豆。"看来名字真不代表什么。

眼下的难题，是利用这些新成果培育出滋味鲜美并且仍然有条件被大规模生产的西红柿。到那时，当你说到"西红柿"时，我就不会再撇嘴了。（翻译　红猪）

拉丁名中的奥秘

生物命名法背后的天才。

大走鹃（greater roadrunner）[1]的拉丁学名为 *Geococcyx californianus*，小走鹃（lesser roadrunner）则是 *Geococcyx velox*。我们熟知的卡通动物形象哔哔鸟（beep beep）[2]就是以走鹃为原型创造的，它在不同场合有着不同的

---

1. 走鹃，一种鸟类，多见于美洲地区，在陆地上奔跑时速度很快。
2. 哔哔鸟，动画片《哔哔鸟和大笨狼》(*Road Runner & Wile E. Coyote*)中的一位类似走鹃的卡通动物形象，跑起来会发出"哔哔"的声音，故名哔哔鸟。大笨狼怀尔也是该片中的动物形象。怀尔一直想捉住哔哔鸟，为此想尽各种办法，但每次都以失败告终，还弄得自己狼狈不堪。该部动画片的每一集都会赋予哔哔鸟和怀尔不同的拉丁名字。在某一集中，哔哔鸟名叫 *Fastius tasty-us*，而大笨狼则叫 *Apetitius Giganticus*。

名字：*Accelerati incredibilus*、*Velocitus tremenjus*、*Birdibus zippibus*、*Speedipus rex* 以及 *Morselus babyfatious tastius*。而一直想抓哔哔鸟，却总以失败告终的大笨狼怀尔（Wile E. Coyote），则被看作是很多物种的代表，如 *Carnivorous slobbius*、*Eatius birdius*、*Overconfidentii vulgaris*、*Poor schinookius* 或 *Caninus nervous rex*。（事实上，大笨狼的拉丁学名是 *Canis latrans*，听起来有点像古罗马军队使用的盥洗室。）

我们必须得感谢制定了命名规则的人，他为我们和《华纳巨星总动员》（*Looney Tunes*）中的角色带来了夸张的拉丁幽默。他是谁呢？瑞典博物学家卡尔·林奈（Carl Linnaeus）。他沉迷于命名事业，甚至给自己取了很多拉丁文名字：*Carl Linné*、*Carl von Linné*、*Carolus Linnaeus* 和 *Caroli Linnaei*，这些名字都遵循他提出的规则：生物双命名法（即种－属系统，生物的学名由属名和种名两个拉丁文或拉丁化的字母组成），这套命名法至今仍适用于所有生物。2007 年是林奈先生诞辰三百周年。看来，有些人的确会因为他们所作的贡献而名垂千古。

幽默的美国记者门肯（H. L. Mencken）[3] 曾"一不小心"为林奈分类法作出了重要贡献，因为他将大部分美国人归为一个新物种：*Boobus americanus*。（别担心，你不属于这个物种。）门肯这样描述总是上当受骗的 *Boobus americanus*："一种从不知道禁猎期是什么时间的鸟"，拉丁名为 *Disappearialis quickius* 的走鹃恰好也有这样的"习惯"。顺便说一下，门肯曾报道过著名的斯科普斯审判案（Scopes Trial）[4]，一些人无法接受"从进化角度来看，现代人与大猩猩和类人猿的关系很亲近"这一观点，甚至闻之色变。

---

3. 门肯，20 世纪美国著名作家、编辑和评论家。对于无知却又自以为是，还极度轻信别人的美国中产阶级，他曾提出尖锐的批评，并将这些人归类为 *Boobus americanus*（意为傻瓜阶级）。
4. 斯科普斯审判案，1925 年发生于美国田纳西州。一位名叫约翰·斯科普斯（John Scopes）的高中生物教师，由于向学生们讲述进化论而被指控有罪。该起事件当时在美国引起巨大轰动，由一个教师有罪与否的问题，上升到当时保守派和现代派之间的矛盾斗争。门肯曾详细报道过该事件并发表了评论。

门肯发表过很多关于智人的精辟言论，有一条是这样说的："什么是理想主义者？就是一旦发现玫瑰比白菜好闻，便断定用玫瑰做出的汤更好喝的人。"实际上，在拉丁语里，把蔷薇属植物与甘蓝混淆是常有的事。能有效避免混乱是林奈分类法得以迅速推广的一个原因：对于某种鸟，法国前任总统尼古拉·萨科齐（Nicolas Sarkozy）可能会把它称作 *moineau*；西班牙国王胡安·卡洛斯（Juan Carlos）也许会叫它 *gorrión*；美国前任副总统迪克·切尼（Dick Cheney）在放飞它之前，或许称之为 "fire in the hole"（洞中之火）。不过对于所有科学工作者来讲，上面所说的鸟只有一个名字——*Passer domesticus*，在英语中是家麻雀的意思。没有林奈分类法，即使在同一种语言中，再普通的生物名称也很容易混淆——在英语中，家麻雀等同于英国麻雀……救命啊，这里有没有分类学家？

林奈的两部姊妹巨著分别是 1753 年的《植物种志》（*Species Plantarum*）和 1758 年的《自然系统》（*Systema Naturae*）。在前一本书中，他对所有已知植物物种进行了分类，而在后一本书中，则首次对动物界进行了编组和分类。由于他习惯给所有见过的生物命名，在维基百科网站上，关于林奈的词条这样写着："他被誉为亚当第二"。在《自然系统》一书的封面上，一个男人（很有可能就是林奈）正在用拉丁名命名"新的物种"，"就如同它们在伊甸园中被创造出来一样"。甚至对于堇菜属中包含的众多成员都没有遗漏。

不过，林奈偶尔会滥用他的命名权力。2007 年 11 月，纽约植物园曾公开展览过珍贵的林奈亲笔注解版《自然系统》，在植物园官网上有这样一句话："为了报复批评他的人，林奈会以他们的名字命名一些外观丑陋、气味难闻的动植物。比如，他以德国植物学家约翰·西格斯贝克（Johann Siegesbeck）的名字命名亚洲的一种会分泌恶臭液体的杂草——

Siegesbeck。"因此，驴的拉丁名 *Equus asinus*，或许会让林奈的心隐隐作痛。[5] 不过，虽然他滥用命名权力，但是如果没有他，生物科学也不会成为一门知名学科。（翻译　姬十三）

---

5. 驴的拉丁名 *Equus asinus*，与林奈名中的 Linnaeus 后半部分的读音比较相似。

混乱的植物界

◎ 有些植物竟是无机物。

　　已故的哈佛大学（Harvard University）古生物学家斯蒂芬·杰伊·古尔德（Stephen Jay Gould）曾说过，每一个物种的名字都表征了关于这种生物体的理论——不仅是赋予它一个称呼，还在地球上所有或爬行、或黏附、或跳跃的生命中，给予它一个位置。因此，任何一个新物种的发现，都会激起科学界和公众的兴趣，要是能发现一个全新的属，就更加令人振奋了。因此，如果有哪位科学家在一篇通过同行评审的论文中声称，发现了植物界中一个从未被命名过的科（比属还大的分类级别），却未受到世人瞩目，这样的事情多少有点让人吃惊。

更令人惊讶的是，这个科的植物其实无处不在，并且具有巨大的经济价值：可能是你家中的装饰品，也可能在牙医的候诊室里帮助缓解紧张的气氛，还可能被大个子球员任意踩踏。

很荣幸，我从该论文的主要作者纳特·布莱特（Nat Bletter）那里获得了一份该文的复印稿。这篇文章于 2007 年 4 月 1 日（选这个日子发表，还真是古怪）发表在《民族植物学研究和应用》（*Ethnobotany Research and Applications*）杂志网站上，题目清晰明了（虽然感觉有点生硬）：《人造植物：*Simulacraceae* 的分类学、生态学与民族植物学》（*Artificae Plantae: The Taxonomy, Ecology, and Ethnobotany of the Simulacraceae*）。

正如论文作者们所提到的，*Simulacraceae* 科植物带来的并不仅仅是一个"技术上的新鲜玩意"，它还是一个"真正的科学难题"。这些个体事实上是永生的，它们可以轻易跨越种间甚至属间而形成新的个体，并且没有任何遗传物质。[如果当初孟德尔（Mendel）[1] 选择此科中的植物进行遗传学研究，恐怕到现在遗传法则和孟德尔本人都还默默无闻。] 尽管那些知名学者们都不曾理会这个事实，但是，塑料牡丹、布织连翘和蜡西瓜等 *Simulacraceae* 科植物的确经常生活在（更准确地讲应该是存在于）我们中间。

布莱特等人在论文中描述了 17 个不同属、86 个不同种的假花，它们的标本目前保存在纽约市人工知识和人类植物学基金会（New York City's Foundation for Artificial Knowledge and Ethnobotany，英文首字母缩写为 FAKE，刚好是"赝品"的意思），那里也是展品储藏室。

论文中给出了关于该科植物的正式拉丁文描述（拉丁文是分类学中的官方语言，不过该科植物的拉丁文描述让人一头雾水）。接下来又是用一段同

---

1. 孟德尔，奥地利遗传学家，遗传学的奠基人。他提出了"遗传因子"的概念，并阐明了遗传的规律，即"孟德尔定律"。

样令人捉摸不透的普林尼（Pliny）[2]式语言描述了每个属。作者还提到以前根本没有关于该科植物的分类学文章发表，因此"我们不必强迫学生去做义务的文献搜集工作"。

布莱特是纽约植物园（New York Botanical Garden）国际植物科学中心（International Plant Science Center）的研究生。他写道，他对 *Simulacraceae* 的强烈兴趣源于一种病：重度慢性论文规避综合征（severe chronic avoidance of dissertation syndrome, SCADS）。他说："我们不能确定 SCADS 是源自遗传因素还是环境因素，这项研究或许会成为我们下一个受美国国立卫生研究院（NIH）巨额资助的课题。"

Simulacraceae 科包括：塑料属，主要是由长链碳氢化合物的复杂多聚体组成的假植物，它们的化学成分显示它们起源于石化工业；碳酸钙属，由贝壳制成的人造植物；石蜡属，最熟悉的例子是奶奶厨房桌子上的大碗里满是灰尘的蜡香蕉、葡萄和苹果；硅石属，包括举世闻名的哈佛自然历史博物馆（Harvard's Natural History Museum）中收藏的玻璃花[3]——共有约 3,000 个标本，展现了 830 多个植物花卉的种类。而现在，它们有了新的名字和分类。（翻译　姬十三）

---

2. 普林尼，古罗马作家，以其所著《博物志》一书著称。

3. 波士顿的手艺人莱昂波尔德（Leopold）和布拉什卡（Rudolph Blaschka）在 1887 年至 1936 年的近 50 年时间，用传统玻璃工艺制作了大量植物模型，收藏在哈佛自然历史博物馆中的植物标本室。每件模型都达到了科学的精确性与艺术的完美性，它们作为哈佛生物教学的教具沿用至今。

物种分类新论

◎ 把体重1千克的吉娃娃归入家犬，作为狼的一个亚种。这样的犬种分类你能赞同吗？

　　某天，我突发灵感（但不是初学者的那种突发奇想）。事情还得从 2009 年 3 月上旬说起，芝加哥大学（The University of Chicago）进化遗传学家杰里·科因（Jerry A. Coyne）在游艇上作了一次演讲。如果各位还记得《树懒不懒》那篇文章，就应该知道在茫茫大海上作科学报告的难处，并不是同大风大浪"搏击"，而是疲于应付没完没了的自助大餐。我只能不停地吃，任自己离题（科学报告）万里。

创世论者总是宣称没有人见过物种形成过程。2008 年 12 月，乔纳森·韦尔斯（Jonathan Wells）在名称与实质不太吻合的"发现研究会"网站（Discovery Institute）上留言："达尔文理论的基础是将物种一分为二，新分裂出的物种又不断分权，不断产生新的物种，如此循环往复，最终形成达尔文理论的树杈结构。然而，这个物种形成的过程却从来没人看见过。"

这让我想起一件案子，一名男子被控在酒吧斗殴中咬掉了另一名男子的耳朵〔迈克·泰森（Mike Tyson）居然没有涉案，真是意外〕。法庭上，辩方律师盘问目击证人："你是否亲眼看见我的委托人咬掉了那只耳朵？"答曰："没有。"律师于是反问："那么，你怎么肯定是被告咬掉了那只耳朵？"证人回答："我看见他把耳朵吐出来了呀。"物种形成问题也是如此。我们从生物化石中发现中间物种；从物种间的解剖差异中了解基因组的同源性。换句话说，我们已经看见了进化论"吐出来"的东西。

回头说说船上的事吧。科因在演讲中罗列了大量能证明进化论的确凿证据〔想了解报告的概要，只要一边大吃大喝，一边阅读科因的新书《为什么要相信达尔文》（*Why Evolution Is True*）就行了〕。同达尔文一样，科因发现，通过人工选择形成新物种，是模拟自然选择的一种很好的方式。他又谈到犬种问题，这在他的书里也有提及："如果目前确认的犬种只出现在化石中，那么古生物学家就会把它们归入不同的种，种的数目肯定超过自然界中现有的野生犬种数——36 种。"

无论生物体如何类似，只要存在生殖屏障，我们就认为它们属于不同的物种。这里的"屏障"并非特指染色体无法匹配。对于山羊以外的动物，一座大山就是屏障；对于鼹鼠以外的动物，一座鼹鼠丘也是屏障。

游艇上的另一位演讲者是美国杜克大学（Duke University）的穆罕默

德·努尔（Mohamed Noor），他专门从事生殖屏障研究，曾获得林奈学会颁发的达尔文－华莱士奖章（Darwin-Wallace Medal）。该奖项每50年颁发一次，表彰进化论方面的研究成果。如果乔纳森·韦尔斯先生只考虑之前的49年，他可能会断言：没人得过这个奖，因为谁也没见过这个奖的奖章。

努尔的研究着眼于两种果蝇：拟暗果蝇（*Drosophila pseudoobscura*）和褐果蝇（*Drosophila persimilis*）。在实验室中，他让雌性拟暗果蝇和雄性褐果蝇交配，产下具有生育能力的后代。但这种交配在自然界中绝不可能实现，因为雌性拟暗果蝇厌恶雄性褐果蝇的气味、叫声，甚至求爱的舞步。

言归正传，谈谈我的灵感：不同的犬种根本就是不同的物种。科因提到两类差异悬殊的犬种：体重80千克的英国獒犬和体重1千克的吉娃娃，但两者都属于家犬。理论上，通过人工授精也能培育出杂交犬种：巨型吉娃娃。但事实上，雄性吉娃娃要与雌性英国獒犬配对，可能还得借助攀岩和洞穴探险装备。

为了谨慎起见，生物学家把这两个犬种归入同一物种。但目前的形势是，创世论者正向进化论大举宣战，现在是时候迎头回击，把战战兢兢的大眼睛吉娃娃重新归类了。瞧！ 这不就是物种形成吗？这个犬种可以被称为"紧张犬"，或"看不见游行队伍犬"，或"请帮我按十二楼犬"。奇怪的是，吉娃娃至今仍被归为家犬，属于狼的一个亚种。把吉娃娃说成是狼，就好比将"发现研究会"的成员称为科学家。（翻译　红猪）

人浪 动力学

◎ 让"浪"什么的留在鱼群，
让创世论什么的离开学生群吧。

风和日丽的下午，砸下大笔钱财来观看比赛的你坐在棒球场。看着看着，那东西就朝你移动过来。从远处开始，人群中的一些人突然莫名其妙地牺牲个性，逐个从座位上站起来把手臂伸向天空，一小会后又重新坐下。这股浪潮从看台上的各个部分涌过，逐渐逼近，终于将你吞没。无论你是参与其中还是干坐着等它过去，你都会被它裹挟、淹没。

可是现在，得克萨斯人却想出了一个好点子（同一年夏天的第二次！）：

美国棒球职业大联盟的卫冕冠军（至少在我写这篇文章时还是）得克萨斯游骑兵队试图让球迷戒掉人浪。尽管没有明令禁止，但游骑兵队在记分牌上用大写字体打出了警告，全文如下：

"外科医生指出，制造人浪会造成伤害，是的，将手臂迅速伸向空中的动作会拉伤冈上肌和冈下肌。还有，任何参与人浪的儿童都将被卖到马戏团。在棒球场内不要制造人浪，在橄榄球赛和麦莉·赛勒斯（Miley Cyrus）的演唱会上请随意。"

［出现在得克萨斯州的另一个好点子是，该州的教育委员会在2011年7月通过一项决议，驳回了在中学生物教科书中补充反进化论材料的申请。根据美国国家科学教育中心（National Center for Science Education）的报道，补充材料中称"智能设计论"是科学界新的"默认观点"。但该中心的乔舒亚·罗西瑙（Joshua Rosenau）表示，这些补充材料"不仅充满创世论者的观点，而且质量相当低劣，充满拼写错误、印刷错误以及对事实的扭曲"。在生物课上使用这样的材料既是对教育的侮辱，也是对理智的背离，就好比一个美国州长刚刚对脱离联邦表示支持，马上又参加总统选举一样。］

要说明的是，我并非对"人浪动力学"有什么异议。有些科学家曾把球场人浪和鸟群、鱼群中那些复杂的突发运动相提并论，即整个群体在没有个体领导的情况下相互协调、集体行动。换个角度看，就是群体中的每个个体都变成了领导，它们从一侧的相邻个体那里获得消息，紧接着又以自身行动示意另一侧的相邻个体如何行动。慢镜头录像确切无疑地显示：一个动作在盘旋的鸟群或者鱼群中的传播方式，和一股波浪在流体中的传播方式非常类似，而这里根本没有裁判说三道四、作出争议判罚的份。

既然提到裁判，就说说我的一个感悟吧：裁判都是不必要的。明确的判罚无需裁判指出，比如跑垒员离垒包很远之类的。至于那些充满争议的判罚，

也就是击球手和球几乎同时到达垒包的情况，裁判一般会说的只是"哪个先到都有可能"这样的标准托词。这种时候，我们只能寄希望于高科技能早日取代活人掌哨。如果有卫道士争辩什么"人为错误是比赛的一部分"，那么就让他们比赛后去停车场寻求慰藉好了，那里常有几十个球迷团团转，因为他们都不记得把车子停哪里了。

回到那汹涌翻腾、延绵不断、令人心烦的人浪。我在文章开头已经说了：走进球场时，我可是花钱来看比赛的。如果我实际做的事情是愉悦其他球迷，那门票收入也该算我一份吧。说正经的，一群世界上技艺最娴熟的人正在场内施展本领，我们这些凡人还是专心看着吧。得克萨斯州的决策是正确的：让"浪"什么的留在鱼群，让创世论什么的离开学生群吧。（翻译　红猪）

企鹅 与官司

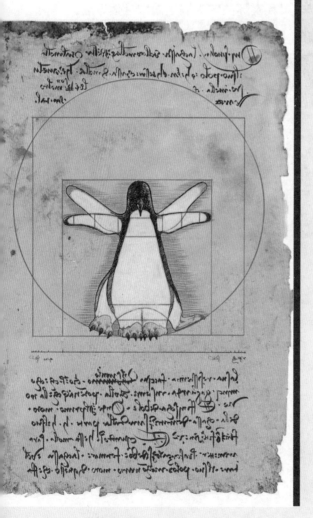

◎ **既然自由的代价是时刻保持警惕，那么不好意思，我们只好又来谈谈"智能设计"这个话题了。**

首先，我们要回顾一下历史。历史上最先出现的，是蒙昧的创世论，它宣称地球上所有的生命都是按照《圣经》中所描述的方式被创造出来的，而非进化而来。随后，创世论演变成更巧妙的"智能设计论"（intelligent design, ID），这一理论认为生命极其复杂，不可能通过自然过程进化而来，所以肯定有一位智能设计大师（其身份还是个秘密，不过他的名字与"Todd"谐音）

创造了生命。自然界无数千变万化的奇迹，小至细胞的鞭毛，大至所有男人、女人，无不出自这位大师之手。

2005 年 9 月 13 日，登载于《纽约时报》（*The New York Times*）上的一篇文章探讨了纪录片《帝企鹅日记》（*March of the Penguins*）带给我们的种种启示，正是这些启示使得该片大受某些人的追捧。《世界杂志》（*World Magazine*）的一位评论员就认为，企鹅蛋虽然脆弱得不堪一击，却能熬过南极严酷的气候，并且孵出小企鹅，这就是"智能设计的有力证明"。保守派评论家迈克尔·梅德维德（Michael Medved）则声称，该电影热情讴歌了"正统的道德规范，诸如一夫一妻、牺牲精神和抚养后代等等"。

正巧，我也看了这部电影。在美国佛罗里达州南部的一个天气热得快要把皮肤烤出泡来的下午，我十分明智地选择了在开着冷气的电影院中看企鹅。因此对这个问题，或许我也能说上几句。

尽管企鹅有着整洁的外表，而且能直立行走，但它们并不是人。企鹅遵循的"正统道德规范"包括一丝不挂地招摇过市，以及反刍食物来喂企鹅幼仔。但如果我们认为对企鹅的这些"不雅"行为进行口诛笔伐非常荒唐的话，那么因为它们实行一夫一妻制就对它们大加赞扬，岂不是同样可笑？而且，电影中明确指出，企鹅实行的是季节性一夫一妻制。那些卫道士们常常痛骂某些电影明星风流成性，其实影片中的企鹅明星们也好不到哪里去——它们的配偶每年一换。此外，把企鹅作为"智能设计"的证据也大有问题。企鹅在孵蛋时，通常是将蛋固定在双足和身体之间，让它紧贴自己温暖的身躯。如果一不小心让蛋滚到了地上，哪怕只有短短的几秒钟，企鹅蛋也会迅速冻裂。真正的"智能设计"应该可以更智能一些，例如让小企鹅在母体内发育，或者将蛋壳加厚，或者将企鹅的栖息地搬到迈阿密这样温暖的地方。最后，企鹅父母需要轮流跋涉 110 多千米，到海边觅食——它们是鸟，却只能在地上行走。

让我们暂且放下企鹅的苦难，到法庭上去开开眼界吧。2005年9月26日，我端坐在宾夕法尼亚州哈里斯堡市的联邦法庭内，听一位律师发问："请问我们人类会有细菌的鞭毛吗？"几乎可以肯定，这类问题出现在法庭上还是破天荒头一回。这个审判是要判决宾夕法尼亚州多佛学区委员会是否违反了美国宪法中关于在公立学校中引入宗教的条款，因为他们要求在该校九年级的生物课中，加入鼓吹"智能设计论"、反对进化论的内容。

有些人将此案称为"斯科普斯审判案（Scopes Trial）第二"，其实它应该被称为"斯科普斯审判案第三"。1987年，美国最高法院审理爱德华兹诉阿癸拉德一案（*Edwards v. Aguillard*）后裁定，禁止在公立学校理科课程中加入创世论的内容，这一案例通常被称为"斯科普斯审判案第二"。既然已经有了一个第二，那就不应该再冒出一个第二，除非这些不可理喻者想把数学课也胡搞一通，让我们连基本的数字概念都弄不清楚了。

那些希望学校里讲授智能设计的多佛学区委员会成员，可以参考本文第一段找到智能设计的解释。课程设置的负责人威廉·白金汉（William Buckingham）是智能设计的鼓吹者之一，他在2005年1月出庭作证时使用了一些剽窃来的观点。当时法官对他说，"请你用非常简单的语言谈谈你对智能设计含义的理解，好吗？智能设计会教些什么东西呢？"白金汉答道："除了我已经表述过的以外，这个……嗯，很多科学家……不要问我他们姓甚名谁。其实，我真的说不出它是怎么来的。很多科学家认为，很早很早以前，一些东西如分子、变形虫之类，逐渐进化成了我们现在看到的复杂生命。"

我们的孩子是在学习知识么？

然而，截至本文发稿时，此案件还在审理之中，所以接下来我们会进一步关注。注意，没有人说保持永久的警惕心是件容易的事。（翻译 郭凯声）

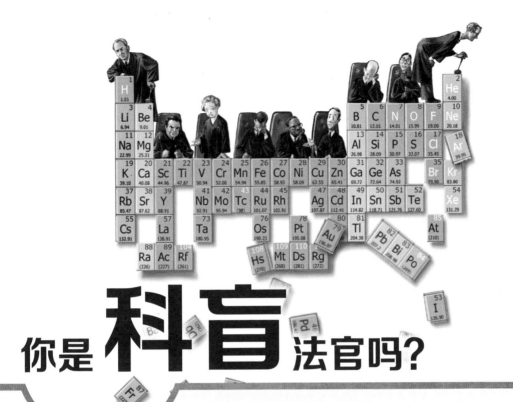

你是**科盲**法官吗？

◎ 第二定律压倒第十修正案。

美国最高法院（Supreme Court of the United States）助理法官一职又有了一位新提名的候选人——塞缪尔·阿利托（Samuel Alito）。［注意：是塞缪尔·阿利托，不是美国旧金山在金门大桥那头的小镇索萨利托（Sausalito）。］原先被提名担任此职的是哈丽雅特·迈尔斯（Harriet Miers），不过她闹了个笑话，以为马伯里诉麦迪逊一案（*Marbury v. Madison*）与当时为纽约尼克斯队（New York Knicks）效力的控球后卫斯蒂芬·马布里（Stephon Marbury）及其主场麦迪逊广场花园（Madison Square Garden）有什么瓜葛，因而不得不黯然退出。

尽管迈尔斯缺乏宪法方面的经验，但有的评论家仍为她抱不平，认为她拥有公司法方面的经验，而在法院审理商业案件时，这方面的经验将大有用武之地。不过，可以肯定，在法院审理的案件中，涉及科学技术的案件也将与日俱增。有鉴于此，下面我拟订了一些与科学有关的问题，在审议最高法院法官提名的听证会上，参议院司法委员会（Senate Judiciary Committee）的委员们可以用这些问题来考考诸位候选的法官：

1. RNA（核糖核酸）与 NRA（国家步枪协会）有什么不同？

2. 据说重力不但是一个很好的概念，而且还是条定律。那么重力算得上是法律吗？在这个肥胖症泛滥成灾的国度，重力当真是个很好的概念吗？

3. 何谓热力学第二定律？何谓牛顿第三运动定律？哪个在先？

4. 在批准任命的听证会上，首席法官约翰·罗伯茨（John Roberts）把法官比作棒球裁判。那么是否该在棒球比赛中通过慢镜头重放来帮助裁判进行裁决？"antediluvian"（意为老式的，大洪水以前的）一词是否指弗勒德一案（Flood）[1] 裁决前的棒球运动？

5. 你相信人会自燃吗？或是，说不定你想自焚，因而不愿回答这个问题？

6. 法官安东宁·斯卡利亚（Antonin Scalia）在对死刑发表高见时说："对于虔诚的基督教徒，死亡算不得什么大事。"死亡是不是大事？如果死亡不算大事，为何谋杀是大罪？

7. 《法律与秩序》（Law and Order）和《法律与秩序：犯罪意图》（Law and Order: Criminal Intent），哪个是最初的版本？

8. 勒夏特列原理（Le Chatelier's Principle）认为，如果你扰乱一个已经进入动态平衡的化学体系，它将作出回应，达到一个新的平衡态。第八修正案禁止使用各种稀奇古怪的残酷刑罚，那么请问，扰乱一个处于平衡态的系统算不算违反了第八修正案的规定？

---

1. 弗勒德一案，指美国职业棒球运动员弗勒德诉美国职业棒球大联盟反托拉斯一案。

9. 一边要放松管理，降低产品的安全水准；一边要改革民事诉讼，限制劣质产品伤害案的赔偿额；同时还得摆出一副铁面包公、决不手软的样子，你有这样的表演本领吗？

10. 你是不是恪守法律条文，认定对宪法就得一字一句地"死抠"？若你果然如此，那么请问，如果把宪法原件放在汽车里跨州运送算违宪，那么用马来驮运是不是就符合宪法？此外，氦元素是在宪法制定以后发现的，那么我还能用氦气给气球充气吗？

11. 假定法官鲁思·巴德·金斯伯格（Ruth Bader Ginsburg）从华盛顿出发以每小时 60 英里（约合每小时 97 千米）的速度向西行进，而法官安东尼·肯尼迪（Anthony Kennedy）从洛杉矶出发以每小时 70 英里（约合每小时 113 千米）的速度向东行进，那么他们会不会在法官克莱伦斯·托马斯（Clarence Thomas）还没有提问前就碰头？

12. 爱因斯坦的相对论认为，对于不同的观测者，两个时间可能是同时发生，也可能是一先一后，视观测者之间的相对运动而定。这些玄妙莫测的理论会不会令你头晕呢？还有，在评估各位目击证人的说法时，该怎样考虑相对论的影响？

13. 如果微软卷入了一场官司，你在审理这场官司时还会用微软的文档和文字处理软件 Word 来写下你的观点吗？

14. 已经结案的美国奇兹米勒诉多佛学区一案（*Kitzmiller v. Dover Area School District*）与斯科普斯审判案有异曲同工之妙。多佛学区对一部有关智能设计的著作情有独钟，一口气为学校图书馆购进了 60 本，而此案的被告之一宣称不知道购书款出自何处（他承认对这本书只马马虎虎地"扫了一眼"）。法庭随后用被告自己签发的注销支票来同他对质。请问，对于这样一位被告，是应该控告他作了伪证，还是不管第八修正案，勒令他真正读一遍那本书？（翻译　郭凯声）

岁末 大派送

 《英国医学杂志》可以算得上是一件美妙的岁末礼物。

在圣诞老人的口袋里，年终版的《英国医学杂志》（*British Medical Journal*）算得上是件好礼物，那些有趣的研究报道照亮了岁末阴冷的冬日，带给我们温暖和光亮。就拿《哈利·波特施法保护孩子们远离意外危险》（*Harry Potter Casts a Spell on Accident Prone Children*）这篇文章来说吧，其作者发现，孩子们在尽情玩耍时，很容易发生意外事故而被送进急诊室，比如，溜冰和玩单脚滑行车的时候。然而，在哈利·波特（Harry Potter）

深入人心后，这样的不幸很可能会很少见了。作者形容"哈利·波特"系列
小说"带给孩子们如此特别的快感，这快感没有水平的疾速、危险的高度、
急速旋转的轮子或锐利的边缘"。

于是，在前两本"哈利·波特"系列小说发行后的间歇里，敬业的作者
们每个周末都赶到急诊室去进行调研，结果发现，幼童发生意外事故的急诊
率"明显降低了"。事实上，那些天大家都好好的，一个来看急诊的孩子都
没有。自从孩子们迷上哈利·波特之后，急诊率减少了一半。作者谨慎地说：
"所以，应当假设有那么一个部门，一个安全意识委员会。有才华的作家们
可以写些能降低孩子意外事故的好书出来。"然而，也有些"麻瓜"写报告
指出其负面效果，即存在"不可预测的幼儿肥胖症、佝偻病和心血管病暴发
的风险"。

贺岁刊中，另一个特别有趣的研究是《论玻璃杯的形状与酒的倾注量》
（ *Shape of Glass and Amount of Alcohol Poured* ）。我们的大脑似乎常常对
高度和体积概念不甚清楚，在按标准倒一小杯酒时，即使是资深调酒师也会估
计错误，在又宽又矮的酒杯里所倾注的酒量比在又高又瘦的酒杯里大约多
20%。科学家们建议大家使用高脚杯来避免这种倾注过量的情况，也可以采用
那些"标有刻度的酒杯"。眼下，看样子我不会拥有一副倒酒专用眼镜，不过，
我也很少享受到足量的酒。（原编者按：赞同！调酒师也没满足过我们！）

或许最有趣的研究要数《茶匙的不翼而飞——纵向剖析澳大利亚某研究
所的茶匙失踪事件》（ *The Case of the Disappearing Teaspoons: Longitudinal
Cohort Study of the Displacement of Teaspoons in an Australian Research
Institute* ）。据说，那个研究所的休息室常常处于茶匙短缺的尴尬境地，研
究员们没法加糖或冲速溶咖啡，继而给工作进度和质量带来恶劣的影响。研
究者们试图回答"那些该死的茶匙都去哪里了？"的问题。

调查人员在一个厨房里放置了"仔细数过的"70 把茶匙,然后,每周进行"茶匙普查"。5 个月后,80% 的茶匙不翼而飞。那些好好放置在常见场合的茶匙平均寿命只有 42 天。作者作出了三项解释:首先,引证 1968 年《科学》(Science)杂志上《公用的悲哀》(The Tragedy of the Commons)一文,此文阐述了个体对公用资源过度消费所造成的毁灭性危害,还说人们是当真会把公用茶匙拿回家;其二,作者认为,或许在一个遥远的星球上住着茶匙这样的公民,我们生活中的茶匙们纷纷移民到那个国度去了;最后,他们将异象抵抗原理(theory of counterphenomenological resistentialism)视为"无生命物体对人类有种天生的仇恨,因此,人们总以为自己在掌控事物,实际上反而越来越被事物操纵"。换句话说,如果你仍固执地认为你掌控着一切,很好,那么那些该死的茶匙都去哪里了?

约翰·琼斯法官(Judge John Jones)令《英国医学杂志》加入到传播节日喜庆气氛的行列之中。《英国医学杂志》刊载了琼斯法官 2005 年 12 月 20 日对美国宾夕法尼亚州多佛"智能设计论"(intelligent design)一案的裁决书。这个案件在《英国医学杂志》上已经被提到过多次了。你在这篇甚至可以从互联网上找到的裁决书里面看不到任何法学方面的东西,它简直就是一篇通俗易懂、经典优美的科学论文。约翰·琼斯法官除了在裁决书里详细论证"智能设计论"像"茶匙星际旅行假说"一样荒谬无理、一派胡言外,还就公立学校科学课上讲授"智能设计论"事件而大加批判地方教育委员会"愚蠢得惊人的"反科学退步思潮。之后,地方政府深入调查了那些被罢免后又出现在证人席上的前教育委员会成员的伪证罪名。这实在不怎么"智能"。
(翻译 阿沙)

生命 如赌场

◉ 生命真的诞生于所谓的原始汤吗？

　　下面的说法对你而言大概是一道晴天霹雳，但接下来或许就会觉得好玩，这个说法就是："汤在1953年达到了鼎盛时期。"如果你不久前刚刚品尝过一碗美味的培根豆子汤，你一定会觉得这是胡说八道。这句话是英国科学记者亚当·拉瑟福德（Adam Rutherford）在《创造：科学是如何重塑生命的》（*Creation: How Science Is Reinventing Life Itself*）一书中提出的观点。

仔细一读才知道拉瑟福德笔下的"汤"是所谓的"原始汤"（prebiotic soup），提出这个名词的是另外一位英国名人——进化生物学家霍尔丹（J. B. S. Haldane），"原始汤"指的是一个"池塘"，这个"池塘"含有足够丰富的化学成分来满足初始细胞的形成条件。

然后，在 1953 年，美国化学家斯坦利·米勒（Stanley Miller）制造出了前文所说的"汤的鼎盛时期"：他将水、甲烷、氢和氨混合，以模拟制造出 40 亿年前的大气成分，并在这团混合物中加入电火花，以模拟远古时代的闪电。（我之前说过，"霹雳"的意思不是那么简单。）不出几天，混合物的颜色就变深了。米勒分析发现，其中出现了氨基酸，而氨基酸是构成生命的上佳材料。

这个实验似乎能清楚地表明，各种生化物质是如何出现在早期地球上的。这个实验后来广为流传，甚至出现在《星际迷航：下一代》（*Star Trek: The Next Generation*）的最后一集里：被称为"Q"的全能生物将主人公皮卡舰长带到了大约 35 亿年前的地球，并指着一摊冒泡的烂泥说："我不是开玩笑，但这就是你们。这颗行星上的第一个生命就将出现在这里。氨基酸将组合起来，形成第一个蛋白质，而你们所说的生命，就是由蛋白质这种积木搭建起来的……你们的所有知识，你们的整个文明，一切都是从这一小汪泥塘中诞生的。"饰演 Q 的约翰·德兰西（John de Lancie）居然能把"泥塘"拖成了三个音节，单单因为这一点，这一幕就值得一看了。

问题是，生命起源于"原始汤"的观点十之八九是错的。几天前，拉瑟福德从另一个"大池塘"的彼端给我打来电话，解释说，"其实'原始汤'指的是复杂的生物大分子可以在适合的条件下自发产生。这个实验很形象，也很重要。但在我看来，大家之所以会错误地解释地球生命的诞生，这个理论也要负很大责任。"

是的，米勒的那锅原始汤里的确产生了氨基酸，但它们只是静静漂浮，并没有玩起仰泳。拉瑟福德指出："这些化学物质反应了一次就不再反应，整个过程到此结束。但生命不是这样，生命是持续不断的化学反应。"你大可以在汤边静候，但里面是永远不会飞出苍蝇来的。

后来，研究人员找到了更有可能诞生生命的地方——被称为"白烟囱"（white smoker）的深海热液喷口。尽管"白烟囱"散发的热量和米勒的电火花一样，只能在一锅材料齐全的汤里制造有限的变化，但是，烟柱还会喷出大量氢气，并在周围的熔岩上钻出细胞大小的气孔。只要从热液喷口中喷出的氢原子中剥离出一个电子，就会剩下一个孤零零的质子。而气孔两边的质子只要数量有差别，就必定会产生一股带电粒子流，这也许就能启动化学反应，并使这些反应维持下去。天长日久，就会产生出我们这些喜欢对着一潭死水沉思的生物。

拉瑟福德说："生命就像一间赌场。"这样说不是因为赌场里面总有烟民咳嗽着把退休金全部输光，而是因为，"人人都知道，只要赌的时间足够长，赢的肯定是庄家。但生命的本质，就在于不断从庄家那里赢回一点。这个过程已经持续了大约 40 亿年。你死之后，自会出局，蕴藏在你细胞内的能量将被归还给庄家。但在有生之年，你始终能从环境中获得能量，并靠着这些能量活下去。这有点像在赌桌前玩二十一点，玩家都会努力让自己整夜呆着不下桌。"所以下桌之前，千万不要错过精彩的演出。（翻译　红猪）

诺贝尔奖——得主的可敬面孔

◉ 与诸位诺贝尔奖得主在林道
共度一周。

　　船驶出港口时，我身边的一个年轻男子哼出了《盖里甘的岛》（*Gilligan's Island*，上世纪 60 年代的美国电视剧，讲述一群演员流落荒岛的故事）的主题曲。我对他说，要是剧中的米诺号（S. S. *Minnow*）搭载的不是一个孤零零的教授，而是像我们这艘船这样，装满了诺贝尔奖得主，那么剧情就会很不一样了。"可不是嘛，"他说，"要是有我们这个阵容，很快就有人来营救了。"

在康斯坦斯湖（当地人叫"博登湖"）上的这次航行，是在德国举行的第 61 届诺贝尔奖得主年会最后一天的活动内容。在此前的一周里，共有 23 位诺贝尔奖得主来到这座海滨度假小镇，向世界各地约 600 位年轻科学家发表演讲、提供建议。把诺贝尔奖得主薛定谔的那只或许已经死掉的猫在这里甩上一星期，不砸到个把诺贝尔奖得主才怪呢。

能在会上看到一沓沓科学伟人的简历的确令人肃然，但令我印象最深的还是他们的面孔。首先要说明，要见这些科学大家一面并不难，会议中心附近的一个圆形交叉路口处就挂着他们 3 米见方的头像。可是等到面对面交谈时，那一张张会动的脸还是让我深受触动。

以 2007 年生理学或医学奖得主奥利弗·史密西斯（Oliver Smithies）为例：史密西斯的成就是发明了定向敲除小鼠基因的技术，有了这项技术，研究人员几乎能敲除哺乳动物的任何一个基因，从而有针对性地研究它们的功能。史密西斯还在闲暇时间发明了凝胶电泳，这是现在的分子生物学家经常使用的分析工具。史密西斯是一位堪称"魔法师"的牛人，看上去也真像个和蔼版的哈利·波特（他在船的顶层眨巴眼睛，下楼后又总是挂着精怪的微笑）。史密西斯向大伙展示了他当年草草制成的聚合酶链反应（PCR）仪的照片，而几年之后，这种仪器才在亚马逊网站有售（我顺便查了查，一台新的 PCR 仪在网上要卖到 7,250 美元）。而史密西斯的那台 PCR 仪看上去就像是按照魔方设计出来的，上面还贴着"NBGBOKFO"的标签。他解释说，那些字母的意思是"不算太好，但奥利弗觉得够用了（no bloody good but OK for Oliver）"。

托马斯·施泰茨（Thomas Steitz）留着老派新英格兰水手式的络腮胡，唇上无毛，看起来像是要去指挥捕鲸船。不过仔细一看，才发觉他顶多只能指挥观鲸船，因为这位耶鲁大学（Yale University）科学家的那副 21 世纪纽

183

黑文面孔（耶鲁大学本部就位于纽黑文），到底缺少了 19 世纪新贝德福德的那种坚毅（19 世纪中叶到 20 世纪初，新贝德福德的捕鲸业盛极一时）。施泰茨因为对核糖体三维结构和详尽功能的简练阐述而获得了 2009 年的诺贝尔化学奖。核糖体是一种细胞器，根据基因编码的指令合成蛋白质。

施泰茨的妻子琼（Joan）也是一位著名的分子生物学家。他们的儿子乔恩（Jon）曾是耶鲁大学棒球队一位不错的投手，他在 2001 年的第三轮选秀中被密瓦基酿酒师队相中。施泰茨向我透露了棒球界的一点小小内幕："乔恩和酿酒师队的签约金比我拿到的诺贝尔奖金还多。"

大会上最年长的面孔属于 93 岁的克里斯蒂安·德杜夫（Christian de Duve），他的面孔看上去和现在长篇动画里那些智慧又慈爱的陆龟非常相像。在今天的生物学界，细胞内部的大致结构已经非常清楚，大多数在世的诺贝尔奖得主（比如施泰茨）都已经在分子层面上开展研究了。而 1974 年德杜夫获得的诺贝尔奖是对他 60 年前工作的致敬，当时的他发现了两种前所未知的细胞器：溶酶体和过氧化物酶体。如果他真是陆龟，他就是那些迎接过达尔文，又茁壮成长到 21 世纪的加拉帕戈斯陆龟。当会场的投影仪在他的演讲过程中罢工时，德杜夫镇定地告诉手忙脚乱的视听设备技术员："不用担心，我知道上面都写了什么。"天才就是如此。（翻译　红猪）

两次
天文
航海

1769   1991

◎ 本文作者发现了自己和一位 18 世纪天文学大家之间的相似之处。

2012 年金星凌日，我在兴奋之余，不由得捧起了《世界发现太阳的那天》（*The Day the World Discovered the Sun*），这是一本描述 18 世纪 60 年代，科学界历经艰辛观测两次金星凌日的书。

在阅读此书之前，我从来就没想过自己会和 18 世纪的法国天文学家让 – 巴蒂斯特·夏普·奥特莱奇

（Jean-Baptiste Chappe d'Auteroche）有这么多共同点。唔，至少在一件大事上，我们是有共同点的。1769 年，他乘船前往下加利福尼亚半岛和墨西哥大陆之间的加利福尼亚湾，去那里观测金星凌日。那次观测收集到的数据，加上在不同纬度观测的其他人收集到的数据，能帮助天文学家计算出地球到金星，以及地球到太阳之间的距离。而 1991 年，我也乘船到了那个地方，那片狭长的水域即将上演又一场天文奇观：一次日全食。

我们这就来比较一下这两次航行吧。

1768 年 9 月，夏普坐船从法国驶向西班牙，他先在那里装上所需的设备，然后到目的地墨西哥圣卢卡斯角建立观测站。在接下来的两个世纪，圣卢卡斯角不再有人造访。1991 年 7 月 4 日，我离开纽约市，和一群喜好天文的朋友一起坐上了前往洛杉矶的火车，我们计划在自己所在的卧铺车厢里一路欣赏美景，我还带了两件夏威夷衬衫。

夏普花了 3 个礼拜的时间才到达西班牙的加的斯。我和朋友在离开纽约20 小时后就到达了芝加哥，我们在那里被迫转车，还忍受了 6 个小时的滞留。所幸密歇根湖畔正在举行一场食品博览会。

1768 年 12 月，夏普开始了长达 77 天的横跨大西洋航行，乘坐的是一艘被他称为"我们的小果壳"的船。1991 年 7 月 5 日，我和友人坐上双层火车，离开芝加哥前往洛杉矶。

1769 年 3 月 6 日，夏普的船在墨西哥的维拉克鲁斯附近下锚，夏普在那里停留了两天，直到当地官员派了一艘小艇接他上岸。后来的一场飓风，几乎摧毁了他的船和船上所有的天文设备。而我们那队人马，在离开芝加哥后的第三天便驶进洛杉矶，一路上在观景车厢中饱览了科罗拉多河的美丽风光。下车后，我们直奔一家不错的旅馆。

1769 年 3 月中旬，夏普开始陆地旅行，目的地是墨西哥毗邻太平洋的那侧，他于 4 月 15 日才到达。1991 年 7 月 7 日，我和我的伙计们找了家像样的墨西哥餐厅吃晚饭。

1769 年 4 月 19 日，夏普乘上一条名叫拉康塞普西翁号（*La Concepcion*）的小船。洋流和海风都不帮忙，他和他的船员在海上漂流了一个月，才抵达下加利福尼亚半岛。1991 年 7 月 8 日，我和朋友在洛杉矶港登上维京旋律号（*Viking Serenade*）。这艘船造于 1982 年，原本是世界上最大的渡轮，后经改造成为一艘豪华游轮。船上的乘客还包括曾经行走月球的宇航员哈里森·施密特（Harrison Schmitt），以及天文学爱好者约翰·阿斯廷［John Astin，就是在电视剧《亚当斯一家》（*The Addams Family*）中扮演戈麦斯·亚当斯（Gomez Addams）的那位］。我们几个在没有窗户的船舱里挨了几天苦日子。

1769 年 5 月底，经过一个半星期的劳动，夏普和他的船员在墨西哥的海角圣何塞建起了自己的观测站。经过 3 天的航行，我们的游轮沿着下加利福尼亚半岛驶入了加利福尼亚湾，途中我和我的船友参加了几个天文学讲座，在湛蓝的天空下爬上顶层甲板打了几局乒乓球，自助餐从凌晨吃到半夜。

1769 年 6 月 3 日，夏普交上了好运（或许是这次旅行中唯一的一次好运），天空放晴，他完成了对金星凌日的观测，得到的数据将帮助科学家计算出太阳系的大小。1991 年 7 月 11 日，我们的日食观测因为阴天而面临威胁。但利用卫星气象云图，船长将船快速航行到了一处没有云层遮挡的海面，我们在那里一共观测了 6 分 53 秒，比理论上的最长观测时间只短了 38 秒！真酷！

那次金星凌日之后，夏普和他的许多船员都感染了流行性斑疹伤寒。那次日食之后，我和朋友们坐船返回洛杉矶，海上的风浪让我稍微有点晕船。

1769 年 8 月 1 日，夏普与世长辞，他最后说的话是："我已完成任务，我死而无憾。"1991 年 7 月 14 口，我和朋友们回到洛杉矶，前往火车站。面对为期 3 天的铁路旅行，我们最后说的是："我们或许该坐飞机。"（翻译　红猪）

宅人 的旅行

◎ 巨人肩膀上的观光之旅。

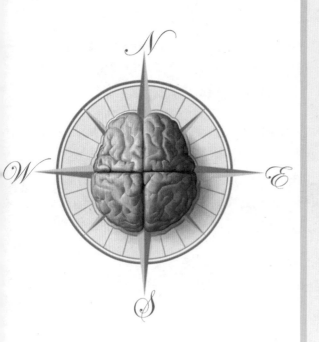

从 1831 年至 1836 年绕着地球闲逛了 5 年之后，达尔文在英国肯特郡的居所（Down House）定居下来。在接下来的 40 余年中，除了偶尔去趟伦敦并当天返回以外，他几乎从未离开过所居住的社区。2009 年夏天，我在伦敦开了 3 天会，会后到道恩一日游，参观了已经成为小型博物馆的达尔文故居。当时我并不知道自己正在游览《极客地图：科技诞生的 128 个地点》（*The Geek Atlas: 128 Places Where Science and Technology Come Alive*）中编号为 043 的景点。

——超乎想象的科学解读

这本书的作者是拥有计算机安全博士学位的约翰·格雷厄姆 – 卡明（John Graham-Cumming），他在书中自称"浪游程序员"。（这或许可以解释他为何要在地点编号中加入"0"以凑成三位数，选择 128 处地点就更加显而易见了，哪个程序员能抵抗得住 2 的 N 次方的诱惑？）格雷厄姆 – 卡明曾为 Linux 杂志撰稿，以此确立了他的极客（geek）身份，他还凭借 2008 年发表的一本 GNU Make 软件编程指南成为了一位超级极客。是的，他就是《GNU Make 揭秘》（GNU Make Unleashed）一书的作者格雷厄姆 – 卡明！用他自己的话说，这本书"只要有 100 名读者，目标市场就饱和了"。

新书书名中的"诞生"二字或许有些言过其实。拿编号 059 的苏格兰国家博物馆（National Museum of Scotland）来说，它是"第一个从成体细胞中克隆出的动物——多莉羊——的最后安息之处"。事实上，多莉不仅是第一个克隆动物，还是第一个被剥制成标本的克隆动物。奇怪的是，第一个克隆的标本动物（用剥制动物标本的细胞克隆出的全新物种）还尚未出现。罗伊·罗杰斯（Roy Rogers）的座驾"扳机"（Trigger）[1]还在那里等着延续生命呢。（严格地说，扳机属于姿态标本，不是剥制标本。）

有魄力的研究人员可以尝试从现在的多莉身上再克隆出一只羊，这样就能创造出剥制动物标本的克隆体以及剥制动物标本克隆体的克隆体了。

编号 029 的埃舍尔博物馆（Escher Museum）位于荷兰海牙。收藏了埃舍尔（M. C. Escher）[2]创作的大量奇形怪状的视错觉画作。据说，如果有谁能直立着爬完正面的台阶就可免费参观。

编号 069 是棵苹果树，号称是砸出牛顿"万有引力"学说的那棵树的后代，位于牛顿在剑桥大学（University of Cambridge）时的宿舍外面。参观这棵树时还能顺便拜访一下教职员工霍金（Stephen Hawking），一个光靠英国社保体制（如果他是英国人的话）根本活不下去的人，这是《投资者商务日报》

---

1. 罗伊·罗杰斯，美国歌手兼西部片演员，常骑着名为"扳机"的骏马出镜，"扳机"死后被制成标本。
2. 埃舍尔，荷兰画家，擅长在作品中营造视错觉。

（*Investor's Business Daily*）那些天才们在社论中写的。霍金曾发表过一则声明，宣称自己事实上是英国人，尽管他的语音合成器听起来完全没有本尼·希尔（Benny Hill）³的韵味。

地处美国马里兰州的盖瑟斯堡国际纬度观测站（Gaithersburg International Latitude Observatory）荣登编号 099。这座地标性建筑曾一度用来追踪地球如何围绕地轴左右摇摆，而纬度又如何根据星星的位置不断变化。盖瑟斯堡地处北纬 39 度 8 分，这一纬度上一共有 6 个观测站。不过今天，它只是一座白色小屋而已，而且长年关闭，只有在"盖瑟斯堡市组织特别活动"期间才会开放。尽管如此，各位还是可以将观测站列入马里兰一日游的三处景点之一［另外两处是美国国家电子博物馆（National Electronics Museum，编号 100）和美国国家密码学博物馆（National Cryptological Museum，编号 101）］。但愿你能找到下面这个地址！鉴于格雷厄姆－卡明在安全领域进行过研究，位于纽约时代广场附近、编号 113 的约翰·莫斯曼锁具博物馆（John M. Mossman Lock Collection）自然会引起他的兴趣。（那些喜欢卖弄的盗贼怎么就没有想过光顾此地呢？）馆内展出了"370 多把银行和金库的锁"，其中还包括可能曾将木乃伊固定在绷带中的古埃及木栓锁。

书中对各景点的科学背景作了详尽解释，这样一来，即便是坐在扶手椅中的"旅行家"也能享受一段虚拟的旅程。不过有的旅行还是虚拟的好。以切尔诺贝利隔离区（编号 080）为例，在这片由史上最严重的核反应堆事故造就的无人区里，根本找不到上好的旅馆。

格雷厄姆－卡明应该考虑再为书呆子们写一本景点指南。因为我们当中很多人放了假只会呆在家中反复挤压已经疲惫不堪的沙发弹簧，根本不会出门度假。（翻译　红猪）

---

3. 本尼·希尔，已故著名英国喜剧演员。

断层有罪

断案无理

◎ 根基不稳，摇摇欲坠。

有句俗话叫"左也不是，右也不是"。我们接着要说的两种情况，则是"说也不是，不说也不是"。

先来看看"说也不是"。2010年4月4日下午3点40分，一场里氏7.2级地震袭击了墨西哥的下加利福尼亚州，震波向北传了很远。16分钟之后，新时代运动（New Age Movement）的大师迪帕克·乔普拉（Deepak Chopra）在推特（Twitter）上发了条消息："刚才冥想得太用力了，以致在南加州（墨西哥下加利福尼亚州以北）引发了一场地震。"

过了 3 分钟，乔普拉又补充了一句："正在冥想时，大地就开震了。见谅见谅。"很不幸，至少有一人在地震中死亡。好在乔普拉不用负责——虽然谁都知道在法庭上辩称"不懂法律"不能为自己脱罪，不过"不懂自然规律"倒是个不错的借口；有了这块免罪金牌，哪怕他当众认罪都不会有事。

又发了几条推特消息之后，到 4 月 7 日，乔普拉改口否认自己对地震负有责任，说前面那些话都是"不恰当的玩笑"。要是他那位迷恋豪华车的导师玛哈礼师·马赫什·优济（Maharishi Mahesh Yogi）大师尚在人世，我们倒是能请教一下他的劳斯莱斯汽车有没有被震得叮当响。（我也是在开不恰当的玩笑呢，多谢捧场。）

就在这时，意大利科学家落入了"不说也不是"的悲惨境地。一群货真价实的地震学家、火山学家、物理学家和工程师成了众矢之的，受到要被控以杀人罪的威胁，因为他们没能准确预报出 2009 年 4 月 6 日的一场地震。这场里氏 6.3 级的地震发生在拉奎拉，造成 300 多人死亡，还有 1,600 名当地居民受伤。尽管就目前的科学技术水平而言，能算出地震发生的大致概率已经很不错了，要再精确是不可能的，就连"最最先进"的冥想术都办不到，可这些科学家还是发现自己被告上了法庭。

受到指控的科学家都是"严重危险委员会"（Major Risks Committee）的成员，该委员会为意大利的民防总局（Civil Protection Agency）充当顾问。结果，严重危险的第一条就是加入了"严重危险委员会"。

2009 年 3 月下旬，意大利发生过几次地震。委员会当时就召开了会议。一位政府官员在会后告诉媒体："科学界说不存在大震危险，因为地下的能量在不断释放。"所谓能量释放，指的显然就是 3 月的几次地震。可惜他错了，这番保证就像在说：在屋顶上拆圣诞彩灯时打打滑有好处，多打几次滑，就

不会一下子掉到地上了。（多看两部搞笑电影就会知道这是错的，这些影片告诉我们：只要几次小小的改变，就能让屋顶势能转化为地面势能。）这位官员接着预测，"形势看上去还是乐观的"。说得这么肯定，大概是此前刚玩过魔力 8 号球（Magic 8-Ball，一种占卜玩具，形似巨大的撞球，内盛液体，液体中漂着相当于骰子的 20 面体）。

而据《科学美国人》（Scientific American）的姊妹刊《自然》（Nature）杂志报道，与会科学家可要比那位官员慎重得多。他们的原话大概是这样的："在这个地区发生大震的可能性不大，但也不能排除"，因为"拉奎拉位于高危地带，不可能给出大型地震不会发生的断言"。他们还建议应该逐一排查建筑物，评估它们的结构完整性，可见他们甚至正确指出了地震中最危险的一环，即一遇到肺活量够大的大灰狼就会被吹倒的脆弱茅屋，才是小猪被大灰狼抓走的真正原因。

事发之后，全球各地约 4,000 名科学家联名上书意大利总统，恳请停止滥抓无辜。他们还呼吁把现有的资源用在"防震和减灾"上，不要"因为科学家没有做他们无能为力的事就提起诉讼"，因为"地震是不可预测的"。（更何况还有人为发动的情况。）英国牛津大学（University of Oxford）地球科学家巴里·帕森斯（Barry Parsons）也在联名书上签了名，他对《自然》杂志说："总有人问科学家：'下次地震什么时候发生？'但这么问是错的。正确的问法是：'地震来的时候，怎么才能不死这么多人？'"对于这件事，检察官应该先问问科学家的意见。别再用法律裁决科学的对错了，这只能让人笑掉大牙，每次都是。（翻译　红猪）

摸到天的摩天楼

◉ 城市粗线条，龙卷风改道。

　　我最喜欢纽约的一点是，它几乎完全没有地震和飓风。虽然对这座城市的介绍大多不会以"无自然灾害"开头，不过话说回来，我喜欢意大利面也是因为它"无骨"。当然了，纽约这地方，小地震还是有的，但它们早就淹没在地铁、卡车和几条街外车载低音炮的轰鸣之中了。飓风嘛，自打我出生起就没在纽约见过一次像样的，不过1991年10月的那次"完美风暴"还是相当可观的，因为风暴带来了瓢泼大雨，纽约、新泽西和康涅狄格三州交界

处的棒状物体，无论是地上躺的还是天上飞的，全都成了用于寻找水源的最靠谱占卜棒。

记录显示，纽约地区每 75 年就会遭遇一次大型飓风。也就是说，运气好的话，我还能见着一次；运气更好的话，一次都见不着。实际上，见到飓风的概率可能比我想象的要高，因为据说根据一些计算机模拟，这座因为没有飓风而讨我喜欢的城市以及海岸线上的任何一座其他城市，都可能吸引超级飓风光顾。

原来，城市都是粗糙的。当然，细腻之处也不是没有，但这里说的"粗糙"指的是城市的几何形态。相比之下，农田就是平滑的。森林也有些粗糙，因为枝枝杈杈着实不少，但还是比不上城市。在大城市里，就算被核爆炸唤醒的史前巨蜥披着燃烧的毯子漫步街头，你也不会觉得它格格不入。

下面就说说粗糙的都市是怎么招来飓风的。飓风在挑选着陆地点时，头部会在凹凸不平的城市遇到更大的摩擦力，从而放慢速度（在湿度等其他因素相同的情况下）。而这时，它的尾部还没得到减速的消息，于是，空气就堆积了起来。

受到挤压的空气开始上升，将水蒸气浓缩，并释放热量。这个过程会使能量注入附近的空气，使之加速移动，让风暴的其他部分也朝这个方向移动。

香港城市大学的陈仲良（Johnny Chan）和欧阳绮雯（Andie Au-Yeung）就此写了篇论文，发表在《地球物理学研究杂志·大气》（*Journal of Geophysical Research: Atmospheres*）上："较高的粗糙度导致更强的聚合效应，从而增加垂直气流，并使粗糙区域更易出现涡流。因此，热带气旋倾向于朝更粗糙的区域移动。"也就是说，较易朝我家移动。当然了，遭殃的不止我家。不过约瑟夫·海勒（Joseph Heller）的小说《第二十二条军规》（*Catch-22*）

里的主人公约塞连（Yossarian）说得好：当时他正抱怨敌人想杀死他，战友纠正说敌人想把他们都杀了，约塞连反问："这有什么区别吗？"

还有一样东西喜欢呆在城市，不喜欢城市周边的乡村，那就是热量。大名鼎鼎的"热岛效应"让越来越多的人心头起火，因为一是城市居民越来越多，大家窝着火比邻而居；二是天气真的很热，热得连食物都变形了。据推测，德国的炸薯条将缩短 1 英寸（1 英寸约为 2.54 厘米），因为天气一热，马铃薯长不到原来那么大了。与之相反的是越长越高、快要碰到屋顶的冰沙。

说到屋顶嘛，其实是可以用来给城市降温的。《物理世界》（*Physics World*）上就有篇文章这么写。文中引用了美国劳伦斯伯克利国家实验室热岛效应研究小组的一项研究。该小组以洛杉矶为研究对象，模拟了洛杉矶的建筑表面和路面反照率（物体表面反射的光线和接收的光线之比）提高 30% 的结果。研究显示，提高反照率能使城市降温 2℃。在纽约，2℃的差别就能让躲在室内吹空调的人走到户外。到了外面，我们就能心平气和地与邻居解决问题，并将飓风拒之门外了。（翻译　红猪）

昨天的预言实现了吗？

◎ 1900 年，人们对 21 世纪充满幻想。站在新世纪之初，回首过去的预言，有几多已成真？

众所周知，预测，特别是对未来的预测，总是充满风险。当"未来"成为"过去"，再回顾昨天的预测，就像是打开一件没有包装的礼物，虽无悬念，却仍令人兴奋。一次，一位朋友寄给我一篇登在《妇女家庭杂志》（*Ladies' Home Journal*）1900 年 12 月刊上的文章。文中，小约翰·艾尔弗雷兹·沃特金斯（John Elfreth Watkins, Jr.）列举了一系列对 2000 年的预言。而今，2000 年已成过去，沃特金斯也已作古，且让我们选几条预言一读。

"美国人口将增至 3.5 亿 ~ 5 亿。"这比 2008 年 3.04 亿的美国人口略高。1900 年，美国人口仅有 760 万，能有这样的估算已经很不错。沃特金斯还预言，巴拿马运河竣工后，尼加拉瓜和墨西哥会试图加入美利坚合众国。这就差了十万八千里。倘若墨西哥加入美国，美国南面的国境线就会从 2,000 英里（约合 3,219 千米）锐减到 400 英里（约合 644 千米），只消把与墨西哥接壤的危地马拉和伯利兹挡在门外便万事大吉。这简直就是"天方夜谭"。

"字母表中将找不到 C、X 和 Q。这些字母因为多余，而不再使用。"这显然是不切实际的猜想。

"蚊子、家蝇和蟑螂几乎绝迹。"除非"几乎绝迹"的意思是抡起鞋底砸虫子，否则这一条就太离谱了。

"大大小小的老鼠将被消灭。"几周前，一只顽皮的"米老鼠"还在我的水槽里跳来跳去，我都没狠心下毒手（当然，也没让它搬进来白住）。如果在纽约等地铁等得很无聊，你还能跟别人比赛"铁轨上找老鼠"来打发时间（通常 10 秒之内，就会有人胜出）。

"做熟的饭菜会在类似面包店的地方出售。"这倒没错。"现成的冷、热食品会由气动管或机动货车送到顾客家里。"这就有点问题了——机动货车送来的"食物"统统是冷的。"吃完之后，用过的餐盘会打包送回烹饪机构清洗。"这可真是单身汉的梦想，可叹的是美梦并未成真。幸好，1904 年，一位天才发明了纸质餐碟。

"大城市的有轨电车将不复存在。"说了个八九不离十，但旧金山电车和波士顿绿线列车例外。不过，所有等过绿线列车的人大概都认为，有轨电车当真已经不复存在。"一旦进入城区，高速车流便会降入地底或升上高空。在多数城市，车辆只限于在主要的地道或隧道内行驶，那里光线充足、通风

良好。"完全同意，里面的照明和通风好到可以玩"铁轨上找老鼠"。"那时，城市将没有噪声。"说到噪声，不得不提及人们当时未能预见到的新发明——配备了超重低音的汽车音响系统，以及冲着电话大喊大叫的"手机大军"。这些可为"减少噪声"帮了大忙。

"从郊外的住所前往办公室只需几分钟，票价才 1 分钱。"实际上，我从布朗克斯到达曼哈顿中城要花 1 小时，12 英里（约合 19.3 千米）的车程得支付 2 元钱。所谓的"快速交通"更像是热烈的祈求，而非真实的描述。

"坐汽车会比骑马更便宜。"说对了大半，但是自从周日"梦想欢腾"（Frolic N My Dreams，一匹马的名字）在水道赛马场的第六场比赛中垫底，这匹马在我眼中就变得一文不值。

"到英格兰只要两天。"时间足够：6 小时飞行，2 小时前往机场，外加 2 小时安检，航班延误再耗上几小时。如果下雪，那就另当别论，谁都猜不准多长时间能到。可惜水道赛马场上没出这种事，总会有人猜中头奖。

"借助新技术，费城会长出橙子。"这就错啦。但也说不准全球变暖，有一天这戏言就成了真。

"将来，每个人都能步行 10 英里（约合 16 千米）。"早晚的事。（翻译　红猪）

未来 就在眼前

◎ 赫伯特·胡佛（Herbert Hoover）出任美国总统时，几位大思想家就想到了今天⋯⋯

库存不足的干果商人常会吆喝一句："大枣子很久没来了！"我们今天也要学着吆喝一句："大日子很久没来了！"乔治·奥威尔（George Orwell）的《1984》来了又去；我们在狂欢中送走了1999；《2001》的不祥石碑最终化作意识形态的血战，作为它续集的《2010》已经过去，行星之间也没出什么大事；"柴格与伊凡斯"（Zager and Evans）的预言则要等500年后才能见分晓——如果我们能活那么久的话。[1]

---

1. 乔治·奥威尔在1948年出版小说《1984》，预言1984年的极权世界；1999年传说是世界毁灭的年份；《2001》是阿瑟·查尔斯·克拉克（Arthur Charles Clarke）的科幻小说，小说中虚构了推动人类进化的神秘石碑，结果2001年却发生了"9·11"事件；克拉克后来又撰写了续集《2010》；"柴格与伊凡斯"为20世纪60年代美国摇滚乐队，走红单曲《In the Year 2525》预言了在2525年及以后的人类历史。

就这样，我们来到了 2011 年，一个看起来乏善可陈的小年份，唯一的亮点是《纽约时报》（*The New York Times*）刊登了 1931 年时人们对 2011 年的预测。当年正值《纽约时报》80 大寿，编辑们觉得应该找几个睿智的人物展望未来，说说另一个 80 年之后，世界会变成什么样子。如果你计算无误，而且没有像格里高利那样调整历法[2]，你就能算出，他们展望的正是 2011 年。

[我得感谢加利文（Gallivan）、怀特（White）和博伊德（Boyd）的律师事务所和他们的博客"非正常使用：不理性的危险产品责任"（Abnormal Use: An Unreasonably Dangerous Products Liability），是他们让我注意到了这段 80 年前的历史：你还在为大规模侵权犯愁吗？你还在为巨额损失担忧吗？请致电加利文、怀特和博伊德律师事务所。当然，请勿在雷暴时、驾车时致电，听筒和头部也请保持一定距离。]

《纽约时报》找来了亨利·福特（Henry Ford），他们大概是觉得这个人既然说过"历史多少是捏造的"，那么在预测未来时想必会宽大一点。福特写道："预言 80 年后的未来是一项有趣的活动……但最能感受到乐趣的应该还是 80 年后的人吧，因为他们能够用已经发生的事件来衡量我们的估计。"真让他说对了。

《纽约时报》还刊登了两位大物理学家的思考结果，他们是阿瑟·康普顿（Arthur H. Compton）和罗伯特·密立根（Robert A. Millikan）。康普顿是 1927 年的诺贝尔奖得主，获奖原因是发现了"康普顿散射"，"康普顿散射"通常指 X 射线和 γ 射线中的光子在和物质碰撞后波长变长的现象，也可以指加利福尼亚州康普顿市的政客在反贪调查员驾到时的表现。

康普顿是这么写的："书面和口头的通信手段，还有电视机，都将比今天更为普及，于是整个地球将会变成一个巨大的地球村。"大师没有预见到

---

2. 教皇格里高利十三世曾在公元 1582 年调整历法，将旧历消去 10 天，形成新历，也就是今天通行的公历。

的是，整个地球村的居民都会目瞪口呆地观看各种由二流歌手、三流舞者、四百磅（约为 181 千克）减肥者参加的比赛。好在大众通信系统也演化出了一套避世机制，那就是一遍遍观看轰动的"神奇草原犬鼠"（dramatic prairie dog）视频［观众常在分类上犯错，把它说成是"神奇花栗鼠"（dramatic chipmunk）］[3]。

密立根是 1923 年的诺贝尔物理学奖得主，因为油滴实验声名远扬，他就是用这个巧妙的实验测出了电子电荷（charge of the electron）。［可别跟阿尔弗雷德·丁尼生（Alfred Tennyson）[4]的《轻骑旅的冲锋》（*The Charge of the Light Brigade*）混为一谈啊。］

密立根写道："用储存在自然中的太阳能替代肌肉能，这是改变人类活动方式和生存境况的主要原因，在过去的 80 年中，人类已经学会了替代的方法，未来不必再学了。"密立根所说的"储存在自然中的太阳能"，想必就是指化石燃料，现在只需一罐这种燃料换来的现金，就足够在 1931 年支付一辆福特 A 型车的订金了。化石燃料是陈化、软化的有机体，它们在很久很久之前将阳光转化成了能量，要不就是吃下了将阳光转化成能量的其他有机体。总而言之，所谓"用储存在自然中的太阳能替代肌肉能"，就是指我们可以开车上山，而不必走路上山。或者换个国会议员们都能明白的说法，就是我们可以开车上山，而不必让人用滑竿抬我们上山。

而密立根没有预见到一个迫切的需要，那就是学会快速有效地储存太阳能。当数千万辆化石燃料驱动的汽车驶上公路，它们排出的尾气会遮蔽山顶，还会让气温变得很高。（翻译　红猪）

3.　"神奇草原犬鼠"视频，这里是指流行于视频网站 YouTube 的一段搞笑视频，主角是一只突然扭头望着镜头的草原犬鼠。
4.　丁尼生，19 世纪英国诗人。

末日之后 疯狂依旧

◎ 世界终将毁灭，但那是在很久、很久以后。

恭喜各位！你们逃过了玛雅人预言的劫难。我早就看好你们的。

在 2012 年 12 月 21 日之前，我就确信自己活得过这个传说中的行星保质期，只要我不被巴士撞、不在浴缸里滑倒就行。不过话说回来，和这些死法相比，某些业余考古学家狂想出来的"世界末日之类的东西"要带劲多了，所以才会有这么多人，也许从来不担心自己有未被诊断出来的高血压，不担心每天经过的公路桥没有被好好养护，却专门担心世界毁灭的事。

前阵子世界末日的傻话满天飞，听信的人也太多，乃至政府机关要特地辟谣，为一小部分公职人员送去安慰。

据《纽约时报》（*The New York Times*）报道，俄罗斯紧急情况部的部长就曾对自己的手下拍胸脯保证，说本国的地球监测技术（是指卫星和地震仪吗？）显示，地球并没有到存亡关头。不过他还加了一句大实话，说他们国家仍处在"暴风雪、冰风暴、龙卷风、洪水、交通瘫痪、食品短缺、供暖故障、停水停电"等的威胁之下。

为遏制这股疯狂劲头，美国政府也特地发了一篇博文，正告国民，世界将照常营业。博文引用美国国家航空航天局（NASA）的科学家戴维·莫里森（David Morrison）的话："我每周至少接到一位年轻人的来信，他们才11岁光景，却因为即将到来的世界末日而抱病或者要寻短见。"小孩子可是真的会被父母和其他长辈的胡话给吓坏的，而那些大人对世界末日一本正经，对自己在退休之后如何维持生计的问题却从不考虑。

顺便说一下，那篇政府博文还写道："世界不会在2012年的12月21日或2012年的任何一天毁灭。"也就是说我们肯定能活过2012年。

同时，澳大利亚时任总理茱莉亚·吉拉德（Julia Gillard）用行动证明，她已经是世界舞台上不可忽视的一个角色了。她在一段视频中板着面孔说了一段笑话，其演技堪比美国冷面笑星巴斯特·基顿（Buster Keaton），甚至影星妮可·基德曼（Nicole Kidman），她说："我亲爱的澳大利亚同胞们，末日就要来了。这次来的不是千年虫，甚至不是碳价格。玛雅日历的事，看来是真的……究竟那毁灭的一击是来自吃人肉的僵尸、狰狞的地狱魔兽，还是韩流（或者说韩国流行音乐）的全面胜利，你们只要记住一点就行，那便是我会为你们抗争，直到最后。这至少也有一个好处，那就是我再也不用参

加'有问必答'（澳大利亚电视节目）了。祝各位好运。"

各位不妨稍微想象一下，假如有哪个美国总统斗胆在电视上开这么一个玩笑，这个国家各方面会有什么反应。最起码抢购面包、牛奶和电池是免不了的吧。

大多数人可能已经忘记了 2011 年那出激动人心的末日好戏，当时，电台传教士哈罗德·康平（Harold Camping）宣布 2011 年 5 月 21 日是"狂喜审判日"。我住在纽约，已经看惯了各种末日教派的代表，咳，不管哪天都有几个人戴着大都会队的帽子招摇过市。（大都会队是纽约的两支棒球队之一，连年战绩糟糕，却仍有球迷支持。）不过就算在纽约这样一座"堕落之都"，去年也还有几十个人举着"5·21 审判日"的牌子在街上转悠，大多数还都是年轻姑娘。

当时，我一连几天都在中央车站到时代广场的那条漫长、低矮的地铁隧道里遇见这群姑娘。我自制力差，终于有一天忍不住对其中一个说："你们到了 22 号还会来的。"她听了之后的反应似乎是想要打我。不过我还是希望她 2012 年的圣诞节过得快乐，也希望她在 2013 年受到的生命威胁能轻一些。对各位也是一样。（翻译　红猪）

把死人交出来

◎ 看智人的一员如何描绘智人的末日。

此情景出现在书的结尾（剧透来了）。书是唐·德里罗（Don Delillo）写的《球门区》（*End Zone*），可能是有史以来最好的体育小说。（该书1972年就出版了，但我也不知道现在过没过剧透有效期。）主角是大学橄榄球队的跑卫加里·哈克尼斯（Gary Harkness），他向队友说起自己的爱好："我喜欢在书里读到大量毁灭、灾难的情节，恐怖的疾病、市中心大火、庄稼枯萎、基因紊乱、气温大起大落、恐慌、抢劫、自杀、尸体烧焦、胳膊折断、死几百万人之类的。"

这位虚构的加里·哈克尼斯肯定喜欢新近出版的一本非虚构作品——弗雷德·古特尔（Fred Guterl）的《物种的命运》（*The Fate of the Species*），[剧透：古特尔是《科学美国人》（*Scientific American*）的执行主编，但我不是在拿他的身份说事]。他也肯定会激赏该书副书名（Why the Human Race May Cause Its Own Extinction, and How We Can Stop It）的前半部分——"为什么人类可能自我灭亡"，虽然后半部分多半不合他的胃口——"我们又该怎样避免"。

古特尔在书中照顾了哈克尼斯的所有兴趣，虽然对断胳膊什么的没有进行正面描写。他写道："我的目标，是描绘我们面临的真实危机。我不准备面面俱到，我会刻意忽略这些危机的光明面，专门讨论它们可能坏到什么地步。"坏到什么地步呢？坏透了。不是死几百万人的问题，而是死几十亿人，其中当然有你也有我，或许还要扯上我们的子女，这就要看是哪天算账了。

古特尔在书中带我们畅想了各种劫难，开篇就写病毒，特别是流感病毒。过去 20 年里，所有和我交谈过的传染病专家都害怕会出现一种杀伤力匹敌 1918 年那场可怕流感的新病毒。而在今天，我们还要面对一种额外的疾病威胁：某些疯子通过电台向数百万虔诚的听众布道，说政府采取的任何公共卫生行动都是掩盖邪恶政策的烟幕。

书中接着对其他几种可能摧毁文明的危机表达了敬意，包括气候变化、生态崩溃、生物恐怖活动，以及将人类视作病毒的人工智能网络等等。这几种灾难，随便哪种都能消灭全世界大量人口，接踵而来的社会瓦解又会使大量幸存者丧生。对了，上礼拜街上变压器短路，停了 3 小时电，我当时就想把装满巴赫（Bach）音乐的闪存埋进地里，留给遥远未来的外星人。

虽然在书中写了这么个阴沉沉的主题，但古特尔的展望却是乐观的。"我是比较偏向技术乐观主义的，"他写道，"我也认为乐观是我们最好的武器。"

但我就没他那么乐观了。

古特尔还写到小行星撞击地球、将人类一举全歼的场景。再来一颗希克苏鲁伯（Chicxulub，位于墨西哥尤卡坦半岛的巨大陨石坑）规模的小行星，我们就全得葬身火海。前宇航员卢杰（Edward Lu）曾建议在近金星轨道发射一架望远镜，那么只需几周时间，我们对哪些小行星可能威胁地球的认识就会加深一倍。一旦发现太空巨岩，理论上我们还可以设法改变它的轨道。

卢杰的这个"哨兵计划"需要筹得数亿美元资金才能启动。而我在2012年7月初曾经写到，美国国家冰球联盟的明尼苏达荒野队宣布，以总额2亿美元的高价签下了自由球员莱恩·苏特（Ryan Suter）和扎克·帕里斯（Zach Parise）。了不得！

古特尔这本书的最后一章取名《巧思》（Ingenuity），他在其中写道："我们到现在一直都侥幸不死，然而要继续生存，就一定得开动脑筋、想出好办法。"不过，再好的办法也不是万无一失的，就像古特尔所写的那样，总有些傻瓜会异想天开坏大事。我在多年前偶然见过这么一则引语："如果全世界的海洋装满汽油，那么迟早会有个疯子点根火柴扔进去。"或许，那火柴已经点着了。（翻译　红猪）

简而言之

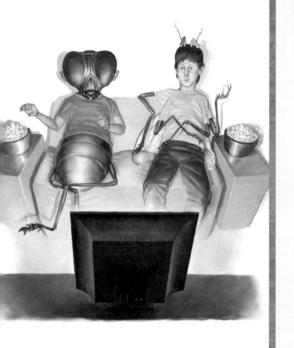

◉ 面向快速换台者的电影简介。

还记得 1986 年上映的《变蝇人》（*The Fly*）这部电影吗？一位爱幻想的研究人员想建造《星际迷航》（*Star Trek*）中的传送机[1]。然而，在传送机中，人和苍蝇意外混合在一起，产生了蝇人或人蝇——随便你怎么称呼这种生物。我倒是比较中意伟大的文森特·普莱斯（Vincent Price，美国演员，擅长塑造虚伪奸诈的反面人物，曾出演《恐怖蜡像馆》（*House of Wax*）和《变蝇人》等影片）1958 年主演

---

1. 《星际迷航》，美国热门科幻剧集，剧中人物经常乘坐传送机远程旅行。

的那一版《变蝇人》，影片中，人的身体上长了颗"漂亮"的苍蝇脑袋，苍蝇的身躯上却顶着个小人头，不停地尖叫"救命"！ 1986 年，杰夫·戈德布拉姆版（Jeff Goldblum）的《变蝇人》更加恐怖。毕竟，是杰夫·戈德布拉姆领衔主演嘛。在这一版电影中，苍蝇和人类的结合更为复杂，两者的脱氧核糖核酸（DNA）似乎都混合在一起了。当然喽，寄生在人类体表和体内的微生物细胞数量，是人体细胞的数十倍，它们的 DNA 似乎没有与戈德布拉姆的混为一体，大概是因为没人会去看名叫《大肠杆菌人》（*The E. Coli*，这是作者虚构的电影）的电影吧。

言归正传，前不久我正用遥控器快速换台时，电视里恰巧在播放 1965 年的《变蝇人诅咒》（*Curse of the Fly*）。这是苍蝇系列中不太有名的一部。［由布莱恩·唐莱维（Brian Donlevy）主演。他在现实生活中恰好是小贝拉·卢戈西（Bela Lugosi, Jr.）的继父。这一家算是牛头对马嘴了："牛头"是指苍蝇；"马嘴"是指吸血蝙蝠。］我按下遥控器上的"资料"键，屏幕上出现的电影简介吸引了我："科学狂人用人体来实验分子破碎机，却处处碰壁。"

我突然意识到：科幻电影和奇幻电影都需要简明的剧情介绍，以供习惯于快速换台的人参考。以下列出几则参考概要。

《2001：太空漫游》（*2001: A Space Odyssey*）一块黑色石板和一台会唱歌的电脑让两位宇航员陷入困境。

《异形》（*Alien*）坏脾气猫咪乘坐太空船冒险。

《地球停转之日》（*The Day the Earth Stood Still*）流浪汉协助老汉，数学题迎刃而解。

《第三类接触》（*Close Encounters of the Third Kind*）穷困潦倒的外星人来地球寻求衣服、音乐、朋友，甚至健身器材。

《星河战队》（*Starship Troopers*）英勇的虫族力克极权入侵者。

——超乎想象的科学解读

《E.T. 外星人》（*E. T. The Extra-Terrestrial*）外星人骑单车，玩"不给糖就捣蛋"的游戏。

《星际之门》（*Stargate*）板寸头库尔特·拉塞尔（Kurt Russell）智胜《哭泣游戏》（*The Crying Game*）中男扮女装的家伙。

《铁血战士》（*Predator*）加利福尼亚州和明尼苏达州未来的州长携手远足。[2]

《夺宝奇兵4：水晶骷髅之谜》（*Indiana Jones and the Kingdom of the Crystal Skull*）考古学教授寻找大学退休买断金和治疗风湿病的良医。

《星际迷航4：抢救未来》（*Star Trek IV: The Voyage Home*）柯克（Kirk）、斯波克（Spock）和麦考伊（McCoy）回到20世纪末，在旧金山如鱼得水。

《机械怪兽》（*Robot Monster*）身披大猩猩装、头顶宇航头盔、配备兔耳天线的怪人，无缘由地上山和下山。

《钢铁侠》（*Iron Man*）军火制造商深陷麻烦，却获援手，脱身返乡。

《黑客帝国》（*The Matrix*）一个男人发现真我。

《星球大战》（*Star Wars*）一个少年发现真我。

《哈利·波特与魔法石》（*Harry Potter and the Sorcerer's Stone*）一个男孩发现真我。

《指环王：护戒使者》（*Lord of the Rings: The Fellowship of the Ring*）一个霍比特人发现真我。（翻译　红猪）

2.　1987年上映的《铁血战士》中的两位演员后来均成为了美国的州长。

哦 我们已经升空

他们摆脱了地球的羁绊，
却要面对肮脏的现实。

就像《异形》（*Alien*）宣传片所讲的那样，在太空里惨叫，没人能听见。在《异形》系列和其他太空剧中，引发惨叫的一般都是恐惧、肢解，或者寄生在肠子里的怪兽幼体什么的。可在现实里，就算平凡无奇的生活琐事也能让宇航员失声惨叫。因为在太空中，人人都能闻到你放出的气体。

当一群人挤在狭小的空间中生活，空间就会发臭。畅销书作者玛丽·罗奇（Mary Roach）有一本书，名叫《打包去火星：太空生活背后的古怪科学》（*Packing for Mars: The Curious Science of Life in the Void*）。书中罗列了太空

旅行的种种不快，前言一开始就"封装"了这么个场景："对火箭科学家来说，你就是个麻烦。你是他要处理的最烦人的一部'机器'。"

我们人类可是很难对付的：要吃，要喝，吃饱喝足了，还会制造些乱糟糟、臭烘烘的产品。人类，是航天飞机需要带厕所的理由；而零重力下的人类，是那些厕所需要安装反光镜的理由。（这个详见罗奇的新书，或者花点时间想想无重排泄的各种场景。）

"水星计划"、"双子计划"和"阿波罗计划"的飞船都不带厕所——基本部件都用在对接和捕获上了，宇航员想如厕也没机会。加上洗澡的难度也大，飞船里很快就会弥漫起一股难闻的异味。试想如下情景：一辆小汽车里载着三个小男孩，都觉得"拉钩放屁"（pull my finger）[1] 是个趣味盎然的游戏；再试想把车窗摇起，在车里呆上一个礼拜。

罗奇在一次访谈中回忆了访问阿波罗 13 号的英雄人物——宇航员詹姆斯·洛弗尔（James A. Lovell）的经历。她拐弯抹角地套洛弗尔的话："飞船返回地球、潜水员游过来打开舱门时，迎接他们的是什么？"洛弗尔先是"嗨！那简直……"接着立即就恢复了翩翩君子的禀性，"……那和外头清新的海风可大不一样。"罗奇说："可我分明记得他在别处说过，飞船当时闻起来像个移动公厕。"

在比较短途的飞行中，旅客干脆就把自己制造的东西丢到舱外了。有一个叫人摸不着头脑的术语专门描述这种行为——"倒尿"。说起来难以置信，但太空中的尿是很美的。"很多宇航员都在回忆录中提过这些速冻尿滴，说它们在日光下晶莹剔透、珠圆玉润，仿佛一阵银白色的暴风雪，"罗奇对我说，"有三位宇航员都提到过'倒尿'是多么美丽。"

---

1. 拉钩放屁，叫别人拉自己手指，并在同时放屁，以示两者有因果关系的恶作剧。

以后的载人火星任务，排泄物就得强制循环了。现在的国际空间站上就是这么做的：机器开动，处理开始，小便进去，小菜出来。罗奇在书中是这么描述的："先处理其中的盐分，然后用活性炭封存带异味的有机分子，然后，尿液就成了一道滋味清爽、恢复元气的午餐饮品。我本想说'无法抗拒'的，但想想不大合适，因为那些宇航员可抗拒了，死活不肯喝一口。"

然而无论如何，尿还不是最难忍的。在飞向火星的任务中，船长日志里会写到种种崭新的问题，呈现种种崭新的可能。罗奇在和我会面之前，曾在曼哈顿的一家书店里和读者谈到过这个问题："碳水化合物能有效地阻挡辐射。所以，在飞往火星时，不妨在生活舱里多装些食物。另外，在美国国家航空航天局（NASA），他们有一种能把粪便加工成瓦片的装置，就跟孩之宝的玩具烤箱差不多。从火星回来时，不妨在生活舱里铺上些这类瓦片。这样，你就能载着饭饭飞向火星，带着便便返回地球了。"好吧，除了"便便"什么的，其他都是她的原话。（翻译　红猪）